崇賢館

崇賢善本

崇賢善本

癸巳季冬京師崇賢館刊

崇賢館記

崇賢善本

太初混沌、盤古開天辟地、斗轉星移、萬象其命維新。炎黄先祖、崛起東方、篳路藍縷、以啓山林。華夏文明、源出細水涓涓、日夜不息、匯爲浩浩江海。上古有河圖洛書之説、先民有結繩書契之作。自夏商以降至於隋唐、我先人以玉飾甲骨、鐘鼎簡牘、碑碣帛書刻録文明歷程、纘續堯舜禹湯文王周公孔子諸聖賢道統、斯文郁郁、盛世生焉。

至唐貞觀間、太宗爲繼往聖之學、風厚生之化、開太平之世、始設崇賢館。任學士、校書郎各二人、掌管經籍圖書、並教授諸生。光陰箭越千年、二十世紀尾聲、有諸同道矢志復立崇賢館、旨於再造盛唐輝煌。興廢繼絶、金聲玉振、集歷代之英華、樹中天之華表。以最中國之形式、再現最中國之内容、俾言簡義豐、温厚和平、墨香紙潤之中國書卷文化、福澤今日之世界。復立伊始、茫茫求索、久立而有待來者、漸至天下翕然而慕國學。當是時、幸得國學之師季羨林、啓功、馮其庸、傅璇琮及著名文史學家毛佩琦、任德山、余世存、國藝方家王鏞、林岫等諸先生擔當學術顧問、肩荷指點迷津、遙斷翼軫之重責。

先賢典籍流傳，粲然可見。北宋一朝，蔡倫高足安徽宣城孔丹，創棉白佳紙，宣紙因而得名。中國造紙術隨後惠澤東西方文化傳播。宣紙典籍體輕而久壽，逐漸引領版刻盛行。宋版之精嚴而高貴，元版之景宋而厚重，明版之繁盛而不齊，清版之集古而爲新。今崇賢館志承歷代版刻精髓，精研歷代善本風貌，礪成鑄鼎之作，曰崇賢善本。其館刊典籍，涵蓋經、史、子、集四部精華，並書畫真跡、碑刻拓片，及今人解經學人蹊徑，可謂囊經天緯地之道，攬修身齊家之學，堪爲現代收藏之冠冕，極品，亦爲今人重塑私德之權威善本。

崇賢善本，皆循宋代工藝。選安徽涇縣，有紙中黃金美譽之手工宣紙製作。裝幀集材，綾面絹簽，沿襲古法，雕版琢字，均出名典，莊重雅致，古色生香。考工記云：天有時，地有氣，材有美，工有巧。斯乃術工與藝術俱臻高妙之境界，書卷文化之真精神。洋裝書雖彌漫當際，崇賢善本卻能卓爾不群。魯迅先生曾有比喻，洋裝書拿在手裏像舉磚頭，遠不如看綫裝書方便。中華先烈文稱風騷，武崇儒將，書卷之氣爲其獨有之美。然不讀綫裝古籍，難鑄高華之美。綫裝書

卷在手或坐或臥思緒如泉潺潺不斷心性高貴至極卻不顯一絲張揚是故崇賢館十數年如一日竭誠舉倡重構綫裝中國國學進入生活尋常百姓之家當見縹囊飄香廣廈重閣之府更是卷盈緗帙隨手展卷有人倫之準式傳世之華章賢人之嘉言生活之寶鑒人人可漱六藝之芳潤可浸高古之氣華

朝代依序更迭時光似川流逝次第顧尋鼎食深院閭閻人家皆門書禮儀傳家久詩書繼世長國學經典連綿千祀然而形殊勢禁古今不同失之毫釐謬以千里時人熱捧國學然忌入玄玄歧途惟汲納百

崇賢館記

家之長融鑄方以補天勿忘戊戌維新之殤是爲殷鑒彙通儒家之禮樂規章道家之取法自然佛家之修心禪定法家之以法治國兵家之正合奇勝加之國藝國史深研修行方能據於德依於仁游於藝經世致用知行合一退可以善道進可以兼濟高品生活人所共求今人之所憂嘆先哲業已冥思而開示吾輩俯仰間應崇聖賢者欣欣然咏而歸之樂也

展觀宇內商潮必資乎文明方能發五色之沃采惠億眾之福祉古往今來熙熙攘攘者道統孰繼崇賢館倡言新國學新閱讀新收藏新體驗同仁塑夢終

期館內、垂髫幼童讀書琅琅、舞象少年飛文染翰、窈窕淑女繪綉撫琴、域內外大雅鴻儒、絕藝名家、群賢畢至、於斯爲盛、再拜天下之甘爲中國傳統文化推廣者、播仁普智、勵勇可喜可嘉。漫漫長路、舉足爲始。崇賢館主李克、敬敘宗旨。沐浴執筆、壬辰中秋記於京華。

武經七書

第一冊

〔春秋〕孫武 等 著
崇賢書院 釋譯

北京聯合出版公司

前言

至今執教EMBA《兵法》課程多年，雖不敢言通，但對《武經七書》確也反復探究。去年受李克先生之託，待《武經七書》編輯工作完成後邀我作序，記得我當時曾說，一定要出版一套精華的兵法典籍，嚴防注釋中出現硬傷。現在市面上也有同名的出版物，興致勃勃購回，卻硬傷纍牘，粗製濫造，實在不忍勞目，終成垃圾。他當即表示，一定邀請當代名家注釋，嚴格把關，不負衆望。他們經過一年多的努力，終至付梓，可喜可賀。

《武經七書》，顧名思義，是講軍事的一套書，或曰一套輯我國古代七部重要兵法的結集。北宋神宗元豐三年，由當朝國子監司業朱服和武學博士何去非等用了三年多的時間，從當時流行的三百四十多部中國古代兵書中甄選出來，經宋神宗御批刻板印刷傳世，並成為其後千餘年間歷朝武狀元科考及軍事將帥的理論教材。包括《孫子兵法》、《吳子兵法》、《尉繚子》、《司馬法》、《黃石公三略》、《六韜》和《唐太宗李衛公問對》，合集命名為《武經七書》，共二十五卷。可以說，大宋朝對中國文化之文武兩科均有築基之功，文築《四書五經》，武築《武經七書》。

兵法講的是什麼的「法」？現代人還要不要學？學什麼？如何學？似乎這樣的問題不值得再贅言，其實不然。首先對於兵法講的是什麼的「法」，分歧就很大，很多人以為既然說的是「兵法」，那就是用兵之法，軍事之法，此論當然對，但並不全對，「兵」即人。沒有人何言兵？用兵之法即為用人之法，是特殊環境下的用人之法。什麼是特殊環境？極端殘酷的競爭環境就是「特殊環境」，所以，凡是競爭環境下如何用人都應該適用此「法」。其二，現代人還要不要學兵法？當然要學。但事實是現代人已經大多不學。據我多年統計，在企業家這個特定群體中，看過《孫子兵法》的人僅百分之一二，聽說過其他兵法名稱的幾乎千分之一二，答案幾乎就是不學的。不學和不要學是兩回事，不學的原因太多，需要

學而不學就是當前的現狀。其三，學什麼？學兵法要學兵法的「神氣」，何謂「神氣」？即對競爭要素中「主要矛盾的主要方面」的精確把握和應用。但今人學兵法者中大部分學的是詞句，若「知己知彼，百戰不殆」，幾乎半數國人皆能順口而出，但「知己」者又有幾人？知如何「知己」者又有幾人？所以，學習兵法詞句存口頭者多，實用者少，如唐太宗所言「垂空言，徒記誦，無足取也」，多趙括者流。如何學？唯「出入法」之理，「始當求所以入，終當求所以出」，「見得親切，此是入書法；所得透脫，此是出書法。蓋不能入得書，則不知古人用心處；不能出得書，則又死在言下」，此話說得絕妙，要學進去還要學出來，兩頭不容易，此論凡學習處均適用。當今幾乎無人不知「思路決定出路」一語，但絕少人深思什麼決定思路，好像思路是從天上掉下來的，全不知思想決定思路，思想是珍珠，思路是項鏈。無珍珠何以得項鏈？不學《道德經》，不學《周易》，不學兵法，不學哲學，思想何來？所以，有些人順利時自以為是，危機時思路茫然。學兵法，學的是思想，是哲學，是智慧，學的就是思路之源。

《武經七書》首選《孫子兵法》，無疑是精準的。

《孫子兵法》是一部集哲學、謀略與執行法則為一體的兵學總論。可以說，從古至今，從中到外，沒有任何一部兵法超越《孫子兵法》。諸兵法中，唯《孫子兵法》把「法」提高到「道」的高度，也即天地規律的高度，於人則是人性的高度。

《孫子兵法》首篇即給「道」下了定義：「道者，令民與上同意。」即是說，讓部下與領導者有共同的意願。並且給出了既可以做到又難以做到的標準：「可以與之死，可以與之生，而不畏危也。」定義似還尚可多解，但標準卻着實讓人望而生畏，從古至今又有幾人可以做到？有人會說，不怕死最難做到，其實不然。不怕生更難，生指什麼？指分享。

孫子比老子實在，老子在《道德經》裏開篇一句「道可道，非常道」暈了國人

幾千年，至今多解。孫子雖未說明如何「能令民與上同意」，但他給我們留下了定性與接近定量的思考空間，讓我們自己去作這篇大文章，這就是中華文化的永恒魅力。

孫子實用，太公直白。姜太公在《六韜》中論「道」曰：「凡人，惡死而樂生，好德而歸利，能生利者，道也。道之所在，天下歸之。」這話說得紮實，能「好德」能「生利」者，天下就歸你們家了，太公言基礎，孫子論目標，無德無利何談「同意」？這不是「術」，這是人性、是天性、是天地大法，就是「經」。

《孫子兵法》共論述了十二大競爭謀略，其餘分別論述領導力及人力資源管理的原則和方法，各佔三分之一篇幅左右。

《吳子兵法》，吳起所作，古人認為與《孫子兵法》齊名，常以《孫吳兵法》並稱。

吳子是實戰派，作兵法，重於教化，設置團隊的行為底綫。「凡治國治軍，必教之以禮，勵之以義，使有恥也。夫人有恥，在大足以戰，在小足以守矣。」人不知恥，何談謀略？孫子有「知可以戰與不可以戰者勝」，吳起有「不占而避之者六」，知可與不可，知進與退，大家之範，與孫子同。我在課上常與學員們笑談，凡人知可與不可，終生幸福成功，餘可不論矣。但如何可「知」？卻是傾其一生而求之不得的大學問。

《尉繚子》，作者尉繚，是梁惠王的尉繚還是秦始皇的尉繚？學界今仍尚存爭議，我以為出於梁惠王時。

此書匯儒、道、法各家思想，其「專一則勝，離散則敗」，「兵以靜固，以專勝」的思想與現代MBA戰略管理中的聚焦戰略理論完全相同。《尉繚子》又曰：「凡兵，有以道勝，有以威勝，有以力勝」，與孫子的「不戰而屈人之兵」，「上兵伐謀，其次伐交」異曲同工。

《司馬法》，作者司馬穰苴。

此法更多地闡述了軍事思想教育的原則，著重說明管理分支機構的底綫和手段，「王霸之所以治諸侯者六：以土地形諸侯，以政令平諸侯，以禮信親諸侯，以禮力說諸侯……會之以發禁者九。憑弱犯寡則眚之。賊賢害民則伐之。暴內陵外則壇之。野荒民散則削之……外內亂，禽獸行，則滅之」。並對團隊文化的塑造和選擇提出了可比照的建議：「古者，國容不入軍，軍容不入國，則民德廢；國容入軍，則民德弱……」對賞罰的背景提出了高效的指導原則：「賞不逾時，罰不遷列，大捷不賞，大敗不誅。」這些都是當今MBA理論尚未涉及到的「空白」。

《黃石公三略》又稱《三略》、《素書》，傳作者為民間隱士黃石公，並將此書贈與張良，曰：「讀此書可為帝王師。」張良憑此兵法輔助劉邦建立了大漢王朝。此書是融合了先秦諸子百家思想而在戰略與治國方略上提出獨到見解的優秀兵法著作，除《孫子兵法》外我非常崇尚此書，理論恢弘，文辭優美，字字珠璣。

《三略》開篇：「夫主將之法，務攬英雄之心，賞祿有功，通志於衆。治國安家，得人也；亡國破家，失人也。含氣之類咸願得其志。」把人力資源管理的重要性進行透徹闡釋。兩千多年前的《三略》已明確昭告天下「得人」與「失人」的利弊。若論如何選人用人，兵法中有其完善的理論體系。中國文化中，無論用能人還是用奴才或「使智使勇使貪使愚」，全有一整套的理論與技巧支持，無論獎懲，全有手段操作。最後一句：「含氣之類，咸願得其志。」說得最徹底，凡是能喘氣的都有志向，有志向就都「吃」這一套。這使我想起拿破侖的一句話：「給我足夠的綬帶，我可以征服全世界。」兩者同理。

《三略》還具體地提示了領導者的責任，「軍國之要，察衆心，施百務。危者安之，懼者歡之，卑者貴之……」，即一位領導者的任務不是親自幹具體工作，首要應該是「察衆心」，調衆心。近代史中僅憑「卑者貴之」四字即可奪得天下，法力無邊，遑論其他。

《三略》還對必敗的領導者素質作出了強烈的告誡：「夫將，拒諫，則英雄散；策不從，則謀士叛；善惡同，則功臣倦；專己，則下歸咎；自伐，則下少功；信讒，則衆離心；貪財，則奸不禁；内顧，則士卒婬。將有一，則衆不服；有二，則軍無式；有三，則下奔北；有四，則禍及國。」不用等結果出來再總結「深刻」教訓，見人見行即見果。枕《三略》，當今管理類之書盡可焚之。

《六韜》，又稱《太公六韜》、《太公兵法》，作者是否為姜尚至今仍有爭議。

此書對世界觀、價值觀及戰略論均有獨到見解。書中以周文王、周武王和姜太公對話的形式闡述了治國、治軍的正確思想。

姜太公在書中重點闡述了領導者正確的世界觀，「天下非一人之天下，乃天下之天下也」，沒有正確的世界觀、價值觀，競爭就會失去正確的方向。但書中也大量闡述了陰謀手段的具體思路和操作辦法。在《文伐》中列舉了十二條破壞敵方的計謀，如對敵方關鍵幹部施用「親其所愛，以分其威。一人兩心，其中心衰，廷無忠臣，社稷必危」等收買和拆臺策略，批判中吸取則可。今天在競爭中我們不崇尚使用陰謀詭計，但不可不防別人對自己實施陰謀詭計。

《唐太宗李衛公問對》，據傳是在唐太宗臨死前一年偶與李靖提起，並由李靖執筆書寫的一部「革命回憶錄」。全文以唐太宗李世民與衛公李靖對話的方式體現。李靖寫完此書後即於八十歲過世，唐太宗也於書成之年五十二歲時駕崩，好險！若唐太宗未及時提起著作此書，今天我們則少了一部精華的兵書。

此書中重點探討了對《孫子兵法》理論觀點的分析、評價和解讀，比曹操點評《孫子兵法》更為深刻，今天讀來仍有極大的學習和藉鑒意義。

學習兵法，除對其文字的涵義要透徹理解外，更高的層次是對其隱含的、沒有明言的深意的體悟。如《孫子兵法》謀略之一的「行千里而不畏」原則，是因為自己膽大、敵方膽小而不畏嗎？非也，是因為敵方知道和你競爭必敗而躲遠你，不是因為你怕與不怕。《藍海戰略》一書前幾年曾熱銷，其實全書衹是在說

《孫子兵法》的這一句話，還不甚全面，國人便奉若圭臬，本末倒置也。

今觀國人，對我國古典文化的生疏程度實在令人「髮指」，其智慧僅來自於遺傳的天分和自我實踐的一點點積累，很少藉鑒於前人，知識積累的效率何其低也，這就是現狀，實在令人扼腕。何以如此？但確實如此，絕無誇張。

有人認為，「兵以詐立」，「詐」為騙，企業不能以騙立，所以認為兵法不能用於企業管理，實乃對兵法之誤讀，以偏概全，書生之論。「詐」是兵法於兩軍相爭處於生死存亡之際的極端策略，企業競爭中我們不贊成欺詐，但保密確是必須的，於人不詐並不等於不防人詐，否則迂腐。害人之心不可有，防人之心不可無，老祖宗早就講明白了。我們反壟斷，但競爭的目的就是為了獲得一時或期望永久的壟斷地位，為此，兵法的謀略都是必須的。

另也有人認為，兵法是「術」不是「經」，「術」是手段，「經」是「道」，是大原則。所以中國有《易經》、《詩經》、《尚書》、《禮記》、《春秋》五經及《道德經》，甚至《茶經》、《孝經》也歸入「經」類，但無「兵經」，這是儒家之偏見，至今仍根深蒂固於國人頭腦中。愚見，兵法即「兵經」。

再如，國人多喜老子一句「上善若水」，但學到的多是「無為」與「不爭」四字，「唯不爭，故無尤」，理解上也多偏頗，造成很多人唯唯諾諾無可無不可，卻自以為那是最大的「善」了，以為老子說水能就下就污就是善，不知老子說的衹是個過程，國人卻以為是個結果。老子說：「天下莫柔弱於水，而攻堅強者莫之能勝，此乃柔德也」，柔德固然柔德，但若想「攻堅強者」，絕非小溪流水所能承擔，老子其實在說，不能爭時要學小水，待匯成大江大河時卻一定要爭的。兵法論弱能勝強、柔能勝剛卻是不做作的，弱能勝強一定有個前提，就是用弱中之強勝強中之弱，否則就是誤讀，柔能勝剛也同理。《三略》中引用了至今已佚失的古典兵法《軍讖》的話曰：「能柔能剛，其國彌光；能弱能強，其國彌彰；純柔純弱，其國必削；純剛純強，其國必亡。」筆者甚以為然。無論《孫子兵法》中

的奇正原則還是虛實原則，講的都是以強勝弱，以剛克柔的道理。柿子要找軟的捏，道理亦同。

如何學習兵法？除前述「入出」之理外，在《唐太宗李衛公問對》中，太宗曰：「兵法孰為最深者？」靖曰：「臣常分為三等，使學者當漸而至焉。一曰道，二曰天地，三曰將法。」太宗又曰：「吾謂不戰而屈人之兵上也，百戰百勝者中也，深溝高壘以自守者下也。習兵之學，必先由下以及中，由中以及上，則漸而深矣。不然則垂空言，徒記誦，無足取也。」無疑，李靖和太宗說的都是對的。李靖說的是深淺難易，太宗說的是先後順序。李靖言「道」最深，其次「天地」，再次「將法」。太宗言先「自守」，再「百戰百勝」，最高級別「不戰而屈人之兵」，以不戰而勝為絕頂，戰是為了不戰，目的是為了成功，能成功可不戰，不能不戰而勝祇好戰了，戰必勝，中等也。

說明：本人非考據專家，在此不對《尉繚子》、《六韜》或《三略》等書的作者及各書中的句讀虛詞等作考據，僅以目前市面上多數出版物為參考，以姜太公、黃石公、尉繚等言之，無論原作者何人，但見水平可也。

兵法要學，要認真學，學會一句「知可以戰與不可以戰者勝」，一生成功，此話實不虛。

《武經七書》成書於北宋，前未收輯諸葛亮的兵法思想，如《將苑》、《便宜十六策》等；對宋後軍事著作更無從涉及，如劉伯溫與曾國藩的兵法思想。

代序。

許伯源

癸巳年庚申月甲子日 於北京海淀

目錄

第一冊

孫子

始計第一　二
作戰第二　四
謀攻第三　七
軍形第四　十
兵勢第五　十二
虛實第六　十四
軍爭第七　十八
九變第八　二十一
行軍第九　二十三

地形第十　二十七
九地第十一　三十
火攻第十二　三十七
用間第十三　三十九

吳子

卷上　四十三
圖國第一　四十三
料敵第二　五十
治兵第三　五十六

第二冊

卷下　六十一
論將第四　六十一

應變第五 六十四
勵士第六 七十

司馬法

卷上 七十四
仁本第一 七十四
天子之義第二 七十八
卷中 八十五
定爵第三 八十五
卷下 九十一
嚴位第四 九十一
用衆第五 九十八

尉繚子

卷第一 一〇二
天官第一 一〇二
兵談第二 一〇四
制談第三 一〇六
戰威第四 一一一
卷第二 一一六
攻權第五 一一六
守權第六 一二〇
十二陵第七 一二三
武議第八 一二三
將理第九 一二九

卷第三 一三一
原官第十 一三一
治本第十一 一三三
第三冊
戰權第十二 一三六
重刑令第十三 一三七
伍制令第十四 一三九
分塞令第十五 一四〇
卷第四 一四一
束伍令第十六 一四一
經卒令第十七 一四二
勒卒令第十八 一四三
將令第十九 一四六
踵軍令第二十 一四六
卷第五 一四八
兵教上第二十一 一四八
兵教下第二十二 一五一
兵令上第二十三 一五五
兵令下第二十四 一五八
黃石公三略
上略 一六二
中略 一七七
下略 一八一

六韜

文韜　一八九
文師第一　一八九
盈虛第二　一九三
國務第三　一九五
大礼第四　一九七
明傳第五　一九八
六守第六　一九九
守土第七　二〇一
守國第八　二〇三
上賢第九　二〇四
舉賢第十　二〇七

第四冊

賞罰第十一　二〇九
兵道第十二　二〇九

武韜　二一一
發启第十三　二一一
文启第十四　二一四
文伐第十五　二一六
順启第十六　二二〇
三疑第十七　二二一

龍韜　二二三
王翼第十八　二二三
論將第十九　二二七

選將第二十 二二八
立將第二十一 二三〇
將威第二十二 二三三
勵軍第二十三 二三三
阴符第二十四 二三五
阴書第二十五 二三六
軍勢第二十六 二三七
奇兵第二十七 二三九
五音第二十八 二四二
兵徵第二十九 二四四
農器第三十 二四六

虎韜 二四八
軍用第三十一 二四八
三陣第三十二 二五四
疾戰第三十三 二五五
必出第三十四 二五六
軍略第三十五 二五八
臨境第三十六 二六〇
動靜第三十七 二六一
金鼓第三十八 二六三
絕道第三十九 二六五
略地第四十 二六六
火戰第四十一 二六八

壘虛第四十二　二六九
豹韜　二七一
林戰第四十三　二七一
突戰第四十四　二七二
敵強第四十五　二七三
敵武第四十六　二七五
烏雲山兵第四十七　二七六
烏雲澤兵第四十八　二七八
少衆第四十九　二八○
分險第五十　二八一

第五冊

犬韜　二八三
分合第五十一　二八三
武鋒第五十二　二八三
練士第五十三　二八四
教戰第五十四　二八六
均兵第五十五　二八七
武車士第五十六　二八九
武騎士第五十七　二九○
戰車第五十八　二九○
戰騎第五十九　二九二
戰步第六十　二九六

唐太宗李衛公問對

卷上 二九九
卷中 三二二
卷下 三四三

孫子

[春秋] 孫武 著

智則能謀，信則能守，仁則能愛，勇則能戰，嚴則能臨。此五者經之以將也。

綜述

《孫子兵法》俗稱爲《孫子》，又稱《孫武兵法》、《吳孫子兵法》、《孫子兵書》、《孫武兵書》等。《孫子兵法》是我國歷史上第一本兵書，不僅是我國古典軍事文化中的瑰寶，更是我國優秀文化傳統的重要組成部分。《孫子兵法》置於《武經七書》之首，其重要地位不言而喻。

關於它的作者，一直以來衆說紛紜，有人說是春秋時期齊國的孫武所著；有人說是孫臏整理而成；有人說是戰國初年某位山林處士編寫；更有人說是三國時代曹操編譔的等等。但是大多數人還是認爲《孫子兵法》的作者是春秋時期的孫武。孫武，字長卿，春秋時期齊國人。著名軍事家、政治家。

《孫子兵法》的內容博大精深，邏輯縝密嚴謹，思想精邃富贍。《孫子兵法》收錄了《始計》、《作戰》、《謀功》、《軍形》、《兵勢》、《虛實》、《軍爭》、《九變》、《行軍》、《地形》、《九地》、《火攻》、《用間》共十三篇，有著其完整而全面的體系，分別探討了以下五個主題：戰略運籌、作戰指揮、戰場機變、軍事地理、特殊戰法。同時闡釋了戰爭和政治、經濟、文化等方面的聯繫。

始計第一

原文

孫子曰：兵者，國之大事，死生之地，存亡之道，不可不察也。

譯文

孫子說：戰爭是國家的大事，它維繫著人民的生死、國家的存亡，不能不詳細考察。

原文

故經之以五事，校之以計而索其情：一曰道，二曰天，三曰地，四曰將，五曰法。道者，令民與上同意，可以與之死，可以與之生，而不畏危也。天者，陰陽、寒暑、時制也。地者，遠近、險易、廣狹、死生也。將者，智、信、仁、勇、嚴也。法者，曲制、官道、主用也。凡此五者，將莫不聞，知之者勝，不知者不勝。

【譯文】所以，應當從五個方面加以分析，通過比較戰爭雙方的各種條件，來探究雙方的實際情況。這五個方面，一是政治，二是天時，三是地利，四是將領，五是法制。所謂政治，就是要讓君民同心，這樣纔能同生共死，而不懼怕任何危險。所謂天時，就是指晝夜、陰晴、寒暑、四季的變化。所謂地利，就是指距離的遠與近、地勢的險要與平坦、地形的寬廣與狹窄、戰場是否有利於攻守進退等情況。所謂將領，就是指將領要智謀過人，賞罰有信，對部下仁愛，勇敢果斷，治軍嚴明。所謂法制，就是指軍隊的編制、各級官吏的職權劃分以及軍需物資的管理。對於以上五個方面，爲將者務必要瞭解，衹有充分瞭解纔能取勝，如果不瞭解，就沒有取勝的可能。

【原文】**故校之以計而索其情，曰：主孰有道？將孰有能？天地孰得？法令孰行？兵衆孰強？士卒孰練？賞罰孰明？吾以此知勝負矣。**

【譯文】所以，要通過對戰爭雙方各種條件的分析、比較，來掌握雙方的實際情況。需要提出這樣的問題：哪一方的君主在政治上更能取得民心？哪一方的將領更有才能？哪一方佔有天時、地利？哪一方的法令能更好地得到貫徹執行？哪一方的兵力更有優勢？哪一方的士兵更加訓練有素？哪一方的賞罰更加公正嚴明？根據這些情況，我就可以判斷雙方的勝負情況了。

【原文】**將聽吾計，用之必勝，留之；將不聽吾計，用之必敗，去之。**

計利以聽，乃爲之勢，以佐其外。勢者，因利而制權也。

【譯文】如果君主聽從我的計策，用兵打仗一定會取勝，我就留下來效力；如果君主不聽從我的計策，用兵必敗無疑，那麼我就會選擇離開。

謀劃有利的方略被採納，就要造成一種態勢，以輔助境外的戰爭。所謂態勢，就是根據實際情況採取對自己有利的措施。

原文 兵者，詭道也。故能而示之不能，用而示之不用，近而示之遠，遠而示之近。利而誘之，亂而取之，實而備之，強而避之，怒而撓之，卑而驕之，佚而勞之，親而離之。攻其無備，出其不意。此兵家之勝，不可先傳也。

譯文 用兵作戰本爲詭詐之術。因此，能夠打仗，卻要裝作不能打；準備打仗，卻裝作不想打；準備從近處攻打，卻裝作要從遠處攻打；準備從遠處攻打，卻裝作要從近處攻打。對方貪圖利益，就用利益來誘惑他；對方混亂，就要趁機攻取；對方武備充實，就要加以防備；對方勢力強盛，就要暫且回避；對方易怒，就要故意挑逗、干擾；對方卑怯謹慎，就要想辦法讓他驕傲自滿；對方休整良好，就要使其疲勞；對方內部團結，就要設法離間。要攻打對方沒有防備之處，在對方料想不到的時候採取行動。這些都是軍事家制勝的訣竅，衹能根據戰爭形勢靈活運用，而不能事先作出死板的規定。

原文 夫未戰而廟算勝者，得算多也；未戰而廟算不勝者，得算少也。多算勝，少算不勝，而況於無算乎！吾以此觀之，勝負見矣。

譯文 戰爭開始之前就預計能夠取勝，是因爲計劃周密、取勝的條件充足；戰爭開始之前就預計不能取勝，是因爲計劃不周，並且缺少取勝的條件。計劃周密、條件充足，纔有取勝的可能；計劃不周而又缺少條件，就難以取勝，更何況沒有任何計劃又沒有任何取勝條件呢！我根據廟算的情況來判斷就可以預見戰爭勝負了。

作戰第二

原文 孫子曰：凡用兵之法，馳車千駟，革車千乘，帶甲十萬，千里饋糧，則內外之費，賓客之用，膠漆之材，車甲之奉，

攻人之城久而不下，其力必至於困屈。若祿山之亂，尹子奇、令狐潮等攻雍陽，久而不下。張巡、許遠設奇，殺敗甚衆，後雖城陷，而子奇、令狐之力已困矣。

日費千金，然後十萬之師舉矣。

【譯文】孫子說：但凡用兵，往往需要動用輕型戰車千輛，輜重車千輛，士卒十萬，並且需要千里迢迢運輸糧草。後方和前綫的費用，接待賓客、使節的開銷，製造軍械的材料，以及戰車、甲冑的供給等，每天要耗費千金，然後十萬大軍纔能出師作戰。

【原文】其用戰也勝，久則鈍兵挫鋭，攻城則力屈，久暴師則國用不足。夫鈍兵挫鋭，屈力殫貨，則諸侯乘其弊而起，雖有智者，不能善其後矣。故兵聞拙速，未睹巧之久也。夫兵久而國利者，未之有也。故不盡知用兵之害者，則不能盡知用兵之利也。

【譯文】動用如此龐大的軍隊，貴在速勝，如果時間久了，軍隊就會疲憊、士氣就會受挫，攻打城池，力量就會耗盡，軍隊長期在外征戰，國家經濟就會受損。一旦軍隊疲憊、士氣受挫，軍事力量和國內財貨耗費殆盡，諸侯就會趁此機會興兵來犯，即便是有智之士也難以挽救危局。所以說，用兵作戰，只聽說過寧可方法笨拙而追求速勝的，卻沒見過方法巧妙而拖延過久的。戰爭曠日持久而對國家有利的情況，從來也沒有過。所以說，不完全瞭解用兵的危害，就不能完全瞭解用兵的益處。

【原文】善用兵者，役不再籍，糧不三載。取用於國，因糧於敵，故軍食可足也。

【譯文】善於用兵的人，不再三徵兵，也不多次從國內運糧。由本國提供武器裝備，從敵國獲取糧草給養，這樣，軍隊的糧草供給就會充足了。

【原文】國之貧於師者遠輸，遠輸則百姓貧。近於師者貴賣，貴賣則百姓財竭，財竭則急於丘役。力屈、財殫，中原內虛於家。百姓之費，十去其七；公家之費，破車罷馬，甲冑矢弩，戟盾

蔽櫓，丘牛大車，十去其六。

譯文 國家由於軍隊長途運輸而貧困，軍隊長途運輸，百姓就會陷於貧困。軍隊駐地附近，物價必然飛漲，這樣一來，百姓的財力就會枯竭，百姓財力枯竭，國家就會加緊徵集賦役。力量耗盡，財富枯竭，國內就會家家空虛。百姓的財產將損耗十分之七；公家的財貨，會因爲戰車損壞，戰馬疲憊，以及甲冑、弓箭、矛戟、盾牌、運輸輜重的牛車等開銷而消耗掉十分之六。

原文 **故智將務食於敵。食敵一鍾，當吾二十鍾；萁稈一石，當吾二十石。**

譯文 所以，有智謀的將領一定要從敵國獲取糧草。從敵國獲取一鍾糧食，就相當於從本國運來二十鍾；從敵國獲取一石草料，就相當於從本國運來二十石。

原文 **故殺敵者，怒也；取敵之利者，貨也。故車戰得車十乘**

孔明造木牛流馬

諸葛亮六出祁山時，糧草供應不足。諸葛亮才思過人，冥想幾日後，造出了木牛流馬，用來運送糧草，解決了長途運輸的困難，有效地補給了軍需。

以上，賞其先得者。而更其旌旗，車雜而乘之，卒善而養之。是謂勝敵而益強。

譯文 所以，要使士卒拚死殺敵，就應當激起他們對敵人的憤怒；要想奪取敵人的物資，就應當採取獎勵手段。在車戰中，凡是奪取敵方戰車十輛以上者，應當獎勵最先奪取戰車的人。奪取敵軍戰車以後，應當更換車上的旗幟，然後混合編入我方的戰車隊伍之中，並且要優待俘虜。這就是戰勝敵人的同時也使自身力量得以增強的道理。

原文 **故兵貴勝，不貴久。**

故知兵之將，生民之司命，國家安危之主也。

譯文 所以說，用兵打仗貴在速勝，而不宜拖延過久。

所以，懂得用兵之道的將領，是百姓命運的掌管者，是國家安危的主宰者。

謀攻第三

原文 **孫子曰：凡用兵之法，全國爲上，破國次之；全軍爲上，破軍次之；全旅爲上，破旅次之；全卒爲上，破卒次之；全伍爲上，破伍次之。**

譯文 孫子說：用兵的原則在於：使敵國完好無損地降服是上策，擊破其國而使之降服則略遜一籌；使敵人全軍完好無損地降服是上策，擊破其軍而使之降服則略遜一籌；使敵人全旅完好無損地降服是上策，擊破其旅而使之降服則略遜一籌；使敵人全卒完好無損地降服是上策，擊破其卒而使之降服則略遜一籌；使敵人全伍完好無損地降服是上策，擊破其伍而使之降服則略遜一籌。

原文 **是故百戰百勝，非善之善者也；不戰而屈人之兵，善之善者也。**

以此之故，與人百戰而百勝，非所謂善之又善者也。言數戰而勝，必致殺人之多，如秦白起之類是也。

【譯文】所以，百戰百勝，並不是高明之中最爲高明的；不用交戰就使敵人降服，纔是高明之中最爲高明的。

【原文】故上兵伐謀，其次伐交，其次伐兵，其下攻城。攻城之法爲不得已。修櫓轒轀，具器械，三月而後成；距闉，又三月而後已。將不勝其忿而蟻附之，殺士三分之一而城不拔者，此攻之災也。

【譯文】所以，最好的用兵手段是用智謀攻伐對方，其次是用外交手段攻伐，再次是用武力攻伐，最下等的手段是攻打對方的城池。攻打城池，是不得已的辦法。製造樓櫓、轒轀，準備器械，三個月纔能完成；堆積土山，又要花費三個月的時間。將領抑制不住内心的憤怒而下令攻城，士卒就像螞蟻一樣向城上攀爬，最終，士卒死亡三分之一而城池依然沒有被攻下，這就是貿然攻城所帶來的災難。

【原文】故善用兵者，屈人之兵而非戰也，拔人之城而非攻也，毀人之國而非久也，必以全爭於天下，故兵不頓而利可全，此謀攻之法也。

【譯文】所以，善於用兵的人，使敵人屈服卻不通過交戰的手段，奪取城池卻不通過攻城的手段，摧毀敵國卻不需要長久作戰，必定以全勝的策略爭勝於天下，這樣纔可以使本國軍隊不受挫傷卻能奪取最大利益，這正是以謀略取勝的法則。

【原文】故用兵之法，十則圍之，五則攻之，倍則分之，敵則能戰之，少則能逃之，不若則能避之。故小敵之堅，大敵之擒也。

【譯文】所以用兵的原則在於，當我軍的兵力十倍於敵軍時，可以將其包圍；當我軍兵力五倍於敵軍時，可以向其發起進攻；當我軍兵力兩倍於敵軍時，要設法使其分散；當我軍兵力與敵軍相當時，可以與其交戰；當我軍兵

力少於敵軍時，應當及時撤退；當我軍條件不如敵軍時，就要設法避免交戰。所以，弱小的軍隊如果堅持與強大的敵人硬拚，最終就會被對方擒獲。

原文 夫將者，國之輔也。輔周則國必強，輔隙則國必弱。故君之所以患於軍者三：不知軍之不可以進而謂之進，不知軍之不可以退而謂之退，是謂縻軍；不知三軍之事，而同三軍之政，則軍士惑矣；不知三軍之權，而同三軍之任，則軍士疑矣。三軍既惑且疑，則諸侯之難至矣，是謂亂軍引勝。

譯文 將領，是輔佐國家的。輔佐周全，國家必然強大；輔佐疏漏，國家必然衰弱。所以，國君給軍隊造成的危害有三種：不知道軍隊不可以前進而命令軍隊前進，不知道軍隊不可以後退而命令軍隊後退，這就叫束縛軍隊；不瞭解軍隊事務而參與軍隊管理，將士們就會迷惑而無所適從；不瞭解作戰的權宜變化而參與指揮戰鬥，將士們就會產生疑慮。三軍將士無所適從而又心生疑慮，諸侯就會趁機發難，這樣就會在擾亂己方軍心的同時而使敵人取得勝利。

原文 故知勝有五：知可以戰與不可以戰者勝；識衆寡之用者勝；上下同欲者勝；以虞待不虞者勝；將能而君不御者勝。此五者，知勝之道也。

譯文 所以，從五個方面可以預知勝利：知道什麼時候可以交戰、什麼時候不可以交戰，就可以取得勝利；知道根據兵力的多少來調整作戰方法，就可以取得勝利；全軍上下同心協力，就可以取得勝利；我方準備充分，對付沒有準備的敵人，就可以取得勝利；將領才能出衆，而君主又不加以牽制，就可以取得勝利。以上五點，就是預知勝利的方法。

原文 故曰：知彼知己，百戰不殆；不知彼而知己，一勝一負；不知彼不知己，每戰必殆。

譯文 所以說：瞭解敵人也瞭解自己，身經百戰也不會失敗；不瞭解敵人而瞭解自己，則勝負結果各佔一半；既不瞭解敵人又不瞭解自己，則每次戰鬥都會失敗。

軍形第四

原文 孫子曰：昔之善戰者，先爲不可勝，以待敵之可勝。不可勝在己，可勝在敵。故善戰者，能爲不可勝，不能使敵之必可勝。故曰：勝可知而不可爲。

譯文 孫子說：從前善於用兵作戰的人，總是先使自己不會被敵人戰勝，然後再尋找時機戰勝敵人。要想自己不被敵人戰勝，主動權在自己手中；要想戰勝敵人，則取決於對方是否有漏洞。所以，善於用兵作戰的人，能夠做到使自己不被戰勝，卻不能使敵人一定被自己戰勝。所以說：勝利可以預料，卻不能強求。

原文 不可勝者，守也；可勝者，攻也。守則不足，攻則有餘。善守者，藏於九地之下；善攻者，動於九天之上，故能自保而全勝也。

譯文 要想不被敵人戰勝，須通過防守來實現；要想戰勝敵人，則須通過進攻來實現。採取防守措施，是因爲我方兵力不足；採取進攻手段，是因爲我方兵力有餘。善於防守的人，如同隱藏在深不可測的地下；善於進攻的人，如同從高不可及的天上降落，正因爲如此，他們纔能在保全自己的同時取得全面的勝利。

原文 見勝不過衆人之所知，非善之善者也；戰勝而天下曰善，非善之善者也。故舉秋毫不爲多力，見日月不爲明目，聞雷霆不爲聰耳。古之所謂善戰者，勝於易勝者也。故善戰者之

勝也，無智名，無勇功。故其戰勝不忒。不忒者，其所措必勝，勝已敗者也。故善戰者，立於不敗之地，而不失敵之敗也。是故勝兵先勝而後求戰，敗兵先戰而後求勝。善用兵者，修道而保法，故能爲勝敗之政。

譯文 預見勝利不超過常人的見識，算不上是高明中最爲高明的；用兵取得勝利以後，天下人都說好，這也不是高明中最爲高明的。這就如同舉起秋毫算不上氣力大，看見日月算不上眼力好，聽見雷聲算不上耳朵靈敏一樣。古時所謂善於用兵的人，總是戰勝容易戰勝的敵人。所以，善於用兵的人打了勝仗，既不顯露智慧的名聲，也不顯露英勇殺敵的戰功。他們取得勝利，不會有絲毫差錯。之所以沒有差錯，是因爲他們的作戰措施能夠確保勝利，他們所戰勝的不過是已經注定要失敗的敵人。所以，善於用兵的人總是能夠確保自己立於不敗之地，同時不錯過任何擊敗敵人的機會。所以，勝利的軍隊

張郃

張郃，字儁乂，河間鄚（今河北任丘北）人，三國時期魏國名將。諸葛亮五出祁山敗退，張郃執意要追趕，結果中了埋伏，冤死山頭。張郃之所以就是因爲沒有正確估計戰爭勝敗的形勢。

力既以鈞石稱較其輕重之分，而吾必勝之形從此而可知矣，此稱所以生勝也。孟子曰：「權然後知輕重，度然後知長短。」《尉繚子》曰：「無過於度數。」度謂尺寸，數謂什伍。度以量地，數以量兵。地與兵相稱則勝。五者皆因地形而得，故自地而生之也。李靖五陣隨地形而變是也。

總是先創造必勝的條件，然後再與敵人交戰；而失敗的軍隊，卻總是先與敵人交戰，然後再企圖僥幸獲勝。善於用兵的人，總是善於修明政治，維護法度，所以纔能把戰爭的勝負掌握在自己手中。

原文 **兵法：一曰度，二曰量，三曰數，四曰稱，五曰勝。地生度，度生量，量生數，數生稱，稱生勝。故勝兵若以鎰稱銖，敗兵若以銖稱鎰。勝者之戰民也，若決積水於千仞之溪者，形也。**

譯文 用兵之法，有五個原則：一要估算土地的面積；二要估算物產的多少；三要掌握士兵的數量；四要衡量對戰雙方的力量對比；五要預先判斷勝負結果。根據領地的不同，可以估算出土地面積；根據土地面積，可以估算物產的多少；根據物產多少，可以估算投入兵員的數量；根據兵員的數量，可以比較雙方的實力；根據雙方的實力對比，可以預先判斷戰爭的勝負。所以，勝利的一方與失敗的一方相比，就好像用「鎰」比「銖」一樣；失敗的一方與勝利的一方相比，就好像是用「銖」比「鎰」一樣。勝利的軍隊作戰，就像從千仞高的山澗中瀉下的積水一樣勢不可擋，這就是軍事實力的表現。

兵勢第五

原文 **孫子曰：凡治衆如治寡，分數是也；鬥衆如鬥寡，形名是也；三軍之衆，可使畢受敵而無敗者，奇正是也；兵之所加，如以碫投卵者，虛實是也。**

譯文 孫子說：要做到管理人數衆多的軍隊就像管理人數較少的軍隊一樣，關鍵在於軍隊組織原則的設定；要做到指揮人數衆多的軍隊作戰就像指揮人數較少的軍隊一樣，關鍵在於指揮工具、指揮手段的運用；要使三軍將士在四面受敵的情況下也不失敗，關鍵在於常規戰法和非常規戰法的使用；

要做到對敵人實施打擊就好像用石頭砸雞蛋一樣容易，關鍵在於以實擊虛。

原文 凡戰者，以正合，以奇勝。故善出奇者，無窮如天地，不竭如江海。終而復始，日月是也；死而復生，四時是也。聲不過五，五聲之變，不可勝聽也；色不過五，五色之變，不可勝觀也；味不過五，五味之變，不可勝嘗也；戰勢不過奇正，奇正之變，不可勝窮也。奇正相生，如循環之無端，孰能窮之？

譯文 但凡作戰，總是使用常規手段與敵軍交戰，而以出其不意的方式取得勝利。所以，善於出奇制勝的人，其戰法如同天地一樣變化無窮，像江海一樣永不枯竭。終而復始，就像日月一樣昇降不息；死而復生，就像四季一樣循環不止。基本音級不過五種，但是五聲的變化組合卻能夠產生聽不完的音樂；基本顏色不過五種，但是五色的變化組合卻能夠產生看不盡的色彩；基本味道不過五種，但是五味的變化組合卻能夠產生出品嚐不盡的味道；戰爭

態勢不過「奇」、「正」兩種基本情況，但是二者經過變化組合，卻可以產生無窮無盡的戰法。「奇」、「正」相互轉化，就像沿著圓環旋轉一樣沒有盡頭，又有誰能夠窮盡呢？

原文 激水之疾，至於漂石者，勢也；鷙鳥之疾，至於毀折者，節也。是故善戰者，其勢險，其節短。勢如彍弩，節如發機。

譯文 激流奔瀉，以至於能使石頭漂起，是因爲有強大的水勢；凶猛的鳥疾飛，以至於能夠迅速捕殺獵物，是因爲節奏短促。所以，善於作戰的人總是造成險峻的態勢，以急促的節奏攻擊敵人。他們所造成的態勢就像拉滿的弓弩一樣險峻，進攻的節奏就像扣動弩機一樣急促而突然。

原文 紛紛紜紜，鬥亂而不可亂也；渾渾沌沌，形圓而不可敗也。亂生於治，怯生於勇，弱生於強。治亂，數也；勇怯，勢也；強弱，形也。故善動敵者，形之，敵必從之；予之，敵必取

之。以利動之，以卒待之。

譯文 戰場上旗幟紛雜，但將領指揮戰鬥應該有條不紊；戰場上車馬、人員混亂，但將領應該組織有效陣形，使軍隊立於不敗之地。軍隊示敵以混亂，實際上十分嚴整；軍隊示敵以膽怯，實際上十分勇猛；軍隊示敵以弱小，實際上十分強大。軍隊嚴整或混亂，是由組織編製的好壞決定的；士卒勇敢或怯懦，是由戰爭態勢的優劣決定的；交戰雙方的強弱對比，是由雙方實力大小決定的。所以，善於調動敵人的人，向敵人示以假象，敵人必定會上鉤；故意給敵人一些好處，敵人必定會來奪取。用利益來引誘敵人，同時還要部署重兵嚴陣以待。

原文 故善戰者，求之於勢，不責於人，故能擇人而任勢。任勢者，其戰人也，如轉木石。木石之性，安則靜，危則動，方則止，圓則行。故善戰人之勢，如轉圓石於千仞之山者，勢也。

譯文 所以，善於用兵的人總是力求創造出有利的態勢，而不一味地苛求下屬，這樣纔能夠有效地利用人才，創造有利的態勢。善於利用有利態勢的人指揮士卒作戰，就像滾動木頭、石塊一樣。木頭和石塊的特性是，放在平穩的地方就靜止不動，放在險峻、傾斜的地方就會滾動；方形的容易靜止，圓形的容易滾動。所以，善於用兵的人所造成的態勢，就像圓石從千仞高山上滾落一樣勢不可擋，這就是有利的態勢。

虛實第六

原文 孫子曰：凡先處戰地而待敵者佚，後處戰地而趨戰者勞。故善戰者，致人而不致於人。能使敵人自至者，利之也；能使敵人不得至者，害之也。故敵佚能勞之，飽能飢之，安能動之。

行於空虛之處，雖千里之遠而兵無轉戰之勞者，行於無人守之地也。如鄧艾伐蜀，自陰平行無人之地七百里是也。

【譯文】孫子說：但凡作戰，總是率先佔據戰場而等待敵軍的一方安逸從容，後到達戰場而倉促應戰的一方被動而又疲憊。所以，善於用兵作戰的人總是能夠調動敵人而不被敵人所調動。能使敵人主動到達預定區域，是因爲用利益引誘對方；能使敵人無法到達預定區域，是因爲對其加以阻撓。敵人休整得好，就要設法使其疲憊；敵人食物充足，就要設法使其飢餓；敵人駐安穩，就要設法使其移動。

【原文】**出其所不趨，趨其所不意。行千里而不勞者，行於無人之地也。攻而必取者，攻其所不守也；守而必固者，守其所不攻也。故善攻者，敵不知其所守；善守者，敵不知其所攻。微乎微乎，至於無形！神乎神乎，至於無聲！故能爲敵之司命。**

【譯文】向敵人無法施救的地方進軍，向敵人預料不到的地方疾行。行軍千里而不疲憊，是因爲行走在沒有敵人抵抗的地方。進攻必然取勝的原因在於，進攻的是敵人防守薄弱的地方；防守必然穩固的原因在於，防守的是敵人不會進攻的地方。所以，善於進攻的人，能使敵人不知道如何來防守；善於防守的人，能使敵人不知道如何來進攻。微妙啊微妙，以至於見不到一點痕跡！神奇啊神奇，以至於聽不見絲毫聲息！將領能夠做到這一點，所以纔能成爲敵人命運的主宰。

【原文】**進而不可禦者，衝其虛也；退而不可追者，速而不可及也。故我欲戰，敵雖高壘深溝，不得不與我戰者，攻其所必救也；我不欲戰，畫地而守之，敵不得與我戰者，乖其所之也。**

【譯文】我軍進攻而敵人無法抵禦，是因爲我軍攻擊了敵人防守空虛的地方；我軍撤退而敵人無法追擊，是因爲我軍行動迅速，敵人追趕不上。所以，如果我軍想要交戰，敵人即便有高壘深溝，也不得不出來與我軍交戰，這是因爲我軍攻擊了敵人必須要救的地方；如果我軍不想交戰，即便在地上畫界

防守，敵人也無法與我軍交戰，這是因爲我軍改變了敵人進軍的方向。

原文 故形人而我無形，則我專而敵分。我專爲一，敵分爲十，是以十攻其一也，則我衆而敵寡。能以衆擊寡者，則吾之所與戰者約矣。吾所與戰之地不可知，不可知，則敵所備者多。敵所備者多，則吾所與戰者寡矣。故備前則後寡，備後則前寡，備左則右寡，備右則左寡，無所不備，則無所不寡。寡者，備人者也；衆者，使人備己者也。

譯文 所以，誘使敵人暴露形跡而我軍不露形跡，這樣我軍就會兵力集中，敵軍則會兵力分散。我軍兵力集中於一點，敵軍兵力則分散在十處，這就相當於我軍以十倍的兵力攻擊敵軍，這樣一來，我軍在兵力上就比敵人更佔優勢。能做到以衆擊寡，那麼與我軍正面交戰的敵人數量也就有限了。我軍出擊的地方敵人不知道，既然不知道，那麼敵人需要防備的地方自然也就多

湧金門張順歸神

浪裏白條張順隨宋江攻方臘，潛水進湧金門。因對那裏的地形不熟，驚動了駐守的南軍，被南軍用滾石和擂木砸死。

了。敵人需要防備的地方多了，那麼與我軍正面交戰的敵軍自然就少了。所以，防備前面，後面的兵力就少了；防備後面，前面的兵力就少了；防備左面，右面的兵力就少了；防備右面，左面的兵力就少了；如果無處不設防，那麼每一處的兵力都會不充足。兵力不足，是因爲處處防備敵人；兵力充足，是因爲使敵人處處防備自己。

原文 故知戰之地，知戰之日，則可千里而會戰。不知戰地，不知戰日，則左不能救右，右不能救左，前不能救後，後不能救前，而況遠者數十里，近者數里乎？以吾度之，越人之兵雖多，亦奚益於勝哉？故曰：勝可爲也。敵雖衆，可使無鬥。

譯文 所以，知道與敵人交戰的地點，知道與敵人交戰的時間，就可以行軍千里與敵人交戰。如果不知道交戰的地點，也不知道交戰的時間，那麼，軍隊就會出現左翼救不了右翼，右翼救不了左翼，前面救不了後面，後面救不了前面的情況，更何況隊伍之間距離遠的長達數十里，近的也長達數里呢？依我看，越國軍隊雖多，對取勝又有什麼幫助呢？所以說：勝利是可以創造的。儘管敵軍數量很多，但依然可以使其無法與我軍戰鬥。

原文 故策之而知得失之計，作之而知動靜之理，形之而知死生之地，角之而知有餘不足之處。故形兵之極，至於無形。無形，則深間不能窺，智者不能謀。因形而措勝於衆，衆不能知。人皆知我所以勝之形，而莫知吾所以制勝之形。故其戰勝不復，而應形於無窮。

譯文 所以，要通過分析來判斷敵人作戰計劃的優劣，誘使敵人行動而探知他們的動靜規律，通過佈陣示形來瞭解敵人所處之處是死地還是生地，通過小規模交鋒來試探敵人兵力的強弱多寡。所以，佯動示形達到最高境界，就會看不出形跡。如果看不出形跡，即便是潛伏極深的間諜，也無法窺探實

情；即便是智慧超群的謀士，也想不出絲毫對策。以敵情爲依據，靈活應變而取勝，即使把勝利放在衆人面前，衆人也不知道我是如何取勝的。人們都知道我取勝的方法，卻不知道我是如何運用這些方法取勝的。所以，每一次勝利都不重複前一次的方法，而應當根據不同情況採取變化無窮的戰法。

原文 **夫兵形象水，水之形，避高而趨下；兵之形，避實而擊虛。水因地而制流，兵因敵而制勝。故兵無常勢，水無常形，能因敵變化而取勝者，謂之神。故五行無常勝，四時無常位，日有短長，月有死生。**

譯文 用兵之法就像流水一樣，水的特點在於避開高處，流向低處；而用兵的規律則是避開敵人的堅實之處，攻擊敵人的薄弱環節。水根據地勢來決定流向，用兵則要根據敵情而採取取勝的方略。所以，用兵作戰沒有永恒不變的態勢，流水也沒有固定不變的形態，能依據敵情的變化而取得勝利的，就稱得上用兵如神了。所以，五行之間相生相剋，沒有哪一種元素能夠常勝；四季更迭，沒有哪一個能夠固定不變；一年之中，日照有短有長；一月之間，月亮有圓有缺。

軍爭第七

原文 **孫子曰：凡用兵之法，將受命於君，合軍聚衆，交和而舍，莫難於軍爭。軍爭之難者，以迂爲直，以患爲利。故迂其途，而誘之以利，後人發，先人至，此知迂直之計者也。**

譯文 孫子說：但凡用兵的法則，從將帥受命於君主開始，經過聚集民衆、組織軍隊，到與敵人對陣，這中間再沒有比爭奪制勝的先機更加困難的事了。爭奪制勝先機最困難的地方，在於通過彎路達到近直的目的，把不利條件轉化爲有利條件。所以，要設法使敵人的捷徑變爲迂回之路，並用利益引誘對

方，這樣繞能在遲於敵人出發的情況下先於敵人抵達目的地，這就算是懂得了以迂爲直的道理。

原文 故軍爭爲利，軍爭爲危。舉軍而爭利，則不及；委軍而爭利，則輜重捐。是故捲甲而趨，日夜不處，倍道兼行，百里而爭利，則擒三軍將。勁者先，疲者後，其法十一而至；五十里而爭利，則蹶上將軍，其法半至；三十里而爭利，則三分之二至。是故軍無輜重則亡，無糧食則亡，無委積則亡。

譯文 爭奪制勝的先機，既有有利的一面，也有危險的一面。如果全軍攜帶輜重與敵人爭奪利益，就難以及時到達目的地；如果全軍丢掉輜重輕裝前進，就會失去這些物資。所以，捲起鎧甲快速前進，晝夜不停，加倍行軍，奔襲百里去爭奪利益，三軍將領就可能被敵人擒獲。身體強健的士卒率先到達，疲憊羸弱的士卒落在後面，這樣只會有十分之一的士卒到達目的地；奔襲五十里去爭奪利益，前軍將領可能受挫，其結果是祇有一半士卒趕到目的地；奔襲三十里去爭奪利益，最終祇有三分之二的士卒趕到目的地。所以，軍隊沒有輜重就會敗亡，沒有糧食就會敗亡，沒有物資儲備就會敗亡。

原文 故不知諸侯之謀者，不能豫交；不知山林、險阻、沮澤之形者，不能行軍；不用鄉導者，不能得地利。

譯文 所以，不知道各國諸侯的意圖，就不能預先與之結交；不瞭解山林、險阻、沼澤等情況，就不能貿然行軍；不使用嚮導，就不能佔據地理優勢。

原文 故兵以詐立，以利動，以分合爲變者也。故其疾如風，其徐如林，侵掠如火，不動如山，難知如陰，動如雷震。掠鄉分衆，廓地分利，懸權而動。先知迂直之計者勝，此軍爭之法也。

譯文 所以，用兵要靠詭詐來取得成功，要根據利益來採取行動，要根據敵我實際情況分散或集中兵力。所以，軍隊行動迅速時，就像疾風颳過；行

故兵以詭詐而立其根本，以因敵之利動而取勝，以分而合、合而分為變化之道。詐者，使敵莫測我虛實之形而立我之本也。利者，見敵之虛而動，以乘其利也。分合者，或分或合，變奇為正，變正為奇，而因以制敵也。

動徐緩時，就像樹林般嚴整；攻擊敵人，就像烈火燎原；駐守防禦，就像高山一樣巋然不動；隱蔽起來，就像陰雲密佈的時候看不見日月星辰；發動攻擊，就像雷霆一樣猛烈、迅捷。掠奪敵人的物資，分與衆人；擴張土地，分兵把守便利之處；要權衡利害得失之後再採取行動。誰能掌握以迂爲直的方法，誰就能夠取勝，這就是爭奪制勝條件的基本原則。

原文 《軍政》曰：「言不相聞，故爲金鼓；視不相見，故爲旌旗。」夫金鼓旌旗者，所以一人之耳目也。人既專一，則勇者不得獨進，怯者不得獨退，此用衆之法也。故夜戰多火鼓，晝戰多旌旗，所以變人之耳目也。

譯文 《軍政》說：「作戰的時候聽不到將領的指揮語言，所以設置了金鼓；作戰的時候看不清將領的指揮動作，所以設置了旌旗。」金鼓、旌旗，是用來統一將士的視覺與聽覺，從而統一軍隊行動的。士卒的行動得到統一，

勇猛者就不會獨自前進，怯弱者也不會獨自後退，這就是指揮大軍作戰的方法。所以，夜間戰鬥多用金鼓指揮，白天戰鬥多用旌旗指揮，這是爲了滿足士卒視聽的需要。

原文 故三軍可奪氣，將軍可奪心。是故朝氣鋭，晝氣惰，暮氣歸。故善用兵者，避其鋭氣，擊其惰歸，此治氣者也。以治待亂，以靜待嘩，此治心者也。以近待遠，以佚待勞，以飽待飢，此治力者也。無邀正正之旗，勿擊堂堂之陳，此治變者也。

譯文 所以與敵人交戰，可以挫傷對方士卒的鋭氣，可以動搖對方將領的決心。軍隊初戰，鋭氣正盛；過了一段時間，士氣就逐漸低落了；到了最後，士氣就完全衰竭了。所以善於用兵的人，總是會避開敵人士氣高昂的時候，而在敵人士氣低落甚至衰竭的時候予以攻擊，這就是掌握士氣的方法。以我方的嚴整來對付敵人的混亂，以我方的沈著冷靜來對待敵人的躁動喧嘩，這

是掌握軍心的方法。用我軍臨近戰場的優勢來對付遠道而來的敵軍，用我軍的安逸來對付敵人的疲勞，以我軍的飽食來對付敵人的飢餓，這是掌握戰鬥力的方法。不要迎戰旗幟整齊的隊伍，也不要向陣容嚴整的隊伍發起攻擊，這是掌握隨機應變的方法。

原文 故用兵之法，高陵勿向，背丘勿逆，佯北勿從，鋭卒勿攻，餌兵勿食，歸師勿遏，圍師必闕，窮寇勿迫。此用兵之法也。

譯文 所以，用兵的原則在於：敵軍佔領高地時不要去仰攻；敵人背靠丘陵時不要從正面進攻；敵人假裝敗退，就不要去追擊；遇到敵人的精鋭部隊，就不要貿然進攻；敵人若派出誘餌，不要去消滅；敵人撤退，不要去阻截；包圍敵人，一定要留有缺口；對於陷入絕境的敵人，不要過分逼迫。這些就是用兵的基本原則。

九變第八

原文 孫子曰：凡用兵之法，將受命於君，合軍聚衆，圮地無舍，衢地合交，絕地無留，圍地則謀，死地則戰。途有所不由，軍有所不擊，城有所不攻，地有所不爭，君命有所不受。

譯文 孫子說：但凡用兵的方法，將領接受國軍的命令，徵集兵員，組織軍隊，行至山林、險阻、沼澤等地方，不要安營紮寨；在四通八達的地區，要注意與四鄰結交；到了遠離後方、難以生存的地方，應當儘快離開，不要停留；在被敵人包圍的地方，應當運用計謀；在走投無路的地方，應當與敵人拚死一戰。用兵作戰，有些道路不必經過，有些敵軍不可攻擊，有些城池不可攻取，有些土地不必爭奪，君主的命令有時也不必接受。

原文 故將通於九變之利者，知用兵矣。將不通於九變之利者，雖知地形，不能得地之利矣。治兵不知九變之術，雖知五

以所害參於所利，則事務可伸也。如鄭師克蔡，國人皆喜。惟子產懼曰：「小國無文德而有武功，禍莫大焉。」後楚果來伐鄭。是所謂在利而思害也。

利，不能得人之用矣。

譯文 所以，將領如果精通「九變」之術，就可以說是懂得用兵之道。如果不精通「九變」之術，即使瞭解地形，也無法從中獲利。指揮軍隊卻不知道「九變」之術，即使知道「五利」，也無法發揮軍隊的作用。

原文 **是故智者之慮，必雜於利害。雜於利而務可信也，雜於害而患可解也。**

譯文 所以，明智的將領考慮問題，總是會兼顧利害兩個方面。兼顧有利的一面，就可以順利實現目標；兼顧不利的一面，就可以解除禍患。

原文 **是故屈諸侯者以害，役諸侯者以業，趨諸侯者以利。**

譯文 所以，要用諸侯害怕、忌諱的事來使其屈服；要用各種事務來役使諸侯；要用利益誘使諸侯被動地奔走。

原文 **故用兵之法，無恃其不來，恃吾有以待之；無恃其不**

曹操烏巢燒糧草

曹操與袁紹對陣，糧草不足，心內正慮怯。許攸向他建議燒掉袁紹的糧草，這樣袁紹便可不戰而敗了。曹操於是帶兵向烏巢進發，圍住烏巢糧屯，放起大火，把一萬車糧草燒得一乾二淨。作爲將領一定要有勇有謀。

攻，恃吾有所不可攻也。

譯文　所以，用兵的原則在於，不要寄希望於敵人不來，而是要有充分的準備，嚴陣以待；不要寄希望於敵人不來進攻，而是要使自己擁有不被攻剋的力量。

原文　故將有五危：必死，可殺也；必生，可虜也；忿速，可侮也；廉潔，可辱也；愛民，可煩也。凡此五者，將之過也，用兵之災也。覆軍殺將，必以五危，不可不察也。

譯文　所以，將領有五種致命的弱點：有勇無謀，只知道硬拼，就會招致殺身之禍；貪生怕死，就很有可能被敵人俘虜；性情急躁易怒，就可能因為受到敵人輕侮而妄動；愛惜廉潔的名聲，就可能被敵人侮辱而中計；愛護民衆，就會因事務繁雜而勞心費神。以上五點，都是將領易犯的錯誤，會給作戰帶來災難。全軍覆沒，主將被殺，必定是因為這五個致命弱點引起的，因此不能不加以認真考察。

行軍第九

原文　孫子曰：凡處軍相敵，絕山依谷，視生處高，戰隆無登，此處山之軍也。絕水必遠水；客絕水而來，勿迎之於水內，令半濟而擊之，利；欲戰者，無附於水而迎客；視生處高，無迎水流，此處水上之軍也。絕斥澤，唯亟去無留；若交軍於斥澤之中，必依水草而背衆樹，此處斥澤之軍也。平陸處易而右背高，前死後生，此處平陸之軍也。凡此四軍之利，黃帝之所以勝四帝也。

譯文　孫子說：但凡部署軍隊、審察敵情，都應該注意，通過山地時要靠近有水草的山谷；安營紮寨應該選擇向陽的高地；敵人如果佔據了高地，就

不要仰攻，這是在山地部署軍隊的原則。渡水之後一定要遠離水流駐紮；敵人渡水來攻，不要在水中迎戰，要等敵軍渡過一半時再予以打擊，這樣會對自己有利；如果準備與敵人作戰，不要靠近水邊佈陣；在江河附近駐紮，應當居高向陽，不要面迎水流，這是在江河地帶部署軍隊的原則。通過鹽鹼沼澤地帶時，應當儘快離去，不能停留；如果在鹽鹼沼澤地帶與敵軍交戰，就一定要靠近水草，背靠樹木，這就是在鹽鹼沼澤地帶部署軍隊的原則。在平原駐紮，要選擇地勢平坦的地方，右側和背後應當依託高地，形成前低後高之勢，這就是在平原地區部署軍隊的原則。以上四種部署軍隊原則大有益處，當初黄帝就是憑藉這幾點戰勝其他四帝的。

原文 **凡軍好高而惡下，貴陽而賤陰，養生而處實，軍無百疾，是謂必勝。丘陵堤防，必處其陽而右背之。此兵之利，地之助也。上雨，水沫至，欲涉者，待其定也。**

譯文 但凡駐軍，總是喜歡乾燥的高地，厭惡潮濕的低地，重視向陽之處，輕視背陰之處，軍隊駐紮的地方一定要靠近水草，並且堅實可靠，士卒百病不生，這樣纔有必勝的把握。在丘陵堤防處駐紮，一定要佔據向陽的一面，背靠高地。這些對用兵有利的部署方法，是以地形作爲輔助條件的。河流上游降雨，洪水襲來，要想徒步過河，一定要等水勢平穩以後再過。

原文 **凡地有絶澗、天井、天牢、天羅、天陷、天隙，必亟去之，勿近也。吾遠之，敵近之；吾迎之，敵背之。軍行有險阻、潢井、葭葦、山林、蘙薈者，必謹復索之，此伏奸之所處也。**

譯文 行軍時，凡是遇到「絶澗」、「天井」、「天牢」、「天羅」、「天陷」、「天隙」等地形，一定要迅速離開，千萬不要接近。我們應當遠離這些地方，而讓敵人去接近；我們應當面向這些地方，而讓敵人去背靠這些地方。在地形險峻、低窪積水、蘆葦茂盛、林木茂密、雜草叢生的地方行軍，一定要仔細、

反複地搜索，這些都是易於隱藏奸細、伏兵的地方。

原文 敵近而靜者，恃其險也；遠而挑戰者，欲人之進也；其所居易者，利也。衆樹動者，來也；衆草多障者，疑也；鳥起者，伏也；獸駭者，覆也；塵高而銳者，車來也；卑而廣者，徒來也；散而條達者，樵採也；少而往來者，營軍也。

譯文 敵人接近我軍，同時又保持安靜，是因爲他們有險要的地形可以倚仗；敵人離我軍很遠，並且向我軍挑戰，這是想引誘我軍落入圈套；敵人在平坦的地方駐紮，是因爲這樣做可以佔據地利。大片樹木枝葉搖動，這說明敵人通過樹林隱蔽前來；草叢中有許多障礙物，這是敵人在迷惑我軍；群鳥驚飛，說明那裏有伏兵；群獸驚駭而奔，說明有敵人大舉偷襲；塵土飛揚得又高又尖，說明敵人有戰車前來；塵土飛揚得又低又廣，說明有步兵前來；塵土飛揚得散亂而又細長，說明敵人正在砍柴；塵土稀少並且時起時落，說明敵人正在安營紮寨。

原文 辭卑而益備者，進也；辭強而進驅者，退也；輕車先出居其側者，陳也；無約而請和者，謀也；奔走而陳兵車者，期也；半進半退者，誘也。杖而立者，飢也；汲而先飲者，渴也；見利而不進者，勞也；鳥集者，虛也；夜呼者，恐也；軍擾者，將不重也；旌旗動者，亂也；吏怒者，倦也；粟馬肉食者，軍無懸缻；不返其舍者，窮寇也。諄諄翕翕，徐與人言者，失衆也；數賞者，窘也；數罰者，困也；先暴而後畏其衆者，不精之至也。來委謝者，欲休息也。兵怒而相迎，久而不合，又不相去，必謹察之。

譯文 敵軍使者言辭謙卑，軍隊卻在加緊備戰，說明敵人準備進攻；敵軍使者措辭強硬，軍隊又做出前進的姿態，實際上是準備撤退；敵軍的戰車率

惟無深謀遠慮，而輕易敵人者，必見擒於人。如齊與晉戰，齊侯曰：「吾姑翦此而朝食。」不介馬而馳之，為晉所敗。是易敵而武進者也。

先出動，部署在側翼，這是在佈陣；敵軍使者事先沒有約定而前來請和，其中必有陰謀；敵軍急速奔跑並擺列陣勢，這是準備按期與我軍交戰；敵人半進半退，這是在引誘我軍。敵軍士卒拄著兵器站立，說明他們十分飢餓；敵軍士卒打水之後自己先喝，說明他們乾渴缺水；敵軍見到利益卻不進兵爭奪，說明他們十分疲憊；敵軍營寨上聚集著大量鳥雀，說明那是空營；敵軍營中夜間有人呼叫，這是恐懼的表現；敵軍內部驚擾躁動，是因為將領缺乏威信；敵軍旌旗搖擺不定，是因為軍隊混亂；敵軍官吏煩躁易怒，說明敵軍已經疲倦；敵軍殺掉戰馬充飢，說明軍中已經沒有糧食；敵軍收拾起炊具，並且不再返回軍營，說明他們已經窮途末路，將要拚死一戰。敵軍將領絮絮不休、低聲下氣地與部下說話，說明他已經失去人心；敵將不斷地獎賞部下，說明敵軍已經無計可施；敵將不斷懲罰部下，說明敵軍處境艱難；敵將先前強暴後來又懼怕部下，這是最不精明的表現。敵軍派使者前來委婉謝罪，說

明敵軍想要休戰。如果敵軍盛怒前來，與我軍對峙許久卻不與我方交戰，也不撤退，這時一定要謹慎地觀察對方的意圖。

原文 兵非益多也，唯無武進，足以並力、料敵、取人而已；夫惟無慮而易敵者，必擒於人。

譯文 用兵打仗，不是兵力越多越好，衹要不盲目冒進，並且做到集中兵力，判斷敵情，就可以取得勝利；那些缺乏深謀遠慮而又輕敵的人，必定會被敵人擒獲。

原文 卒未親附而罰之則不服，不服則難用也；卒已親附而罰不行，則不可用。故令之以文，齊之以武，是謂必取。令素行以教其民，則民服；令素不行以教其民，則民不服。令素行者，與眾相得也。

譯文 如果士卒還沒有親近依附自己，將領就對其加以懲罰，那麼他們就

會不服，不服就難以使用；如果士卒已經親近依附，可是懲罰措施卻得不到執行，那麼將領就不能指揮他們作戰。所以，一定要用獎賞的方式團結士卒，用懲罰措施來約束士卒，這樣纔能出師必勝。如果軍令平素就得到嚴格執行，以此來管教士卒，士卒就會服從；如果軍令平時得不到嚴格執行，以此來管教士卒，士卒就不會服從。軍令平素能夠得到貫徹執行，這說明將領與士卒相處十分融洽。

地形第十

原文 孫子曰：地形有通者，有掛者，有支者，有隘者，有險者，有遠者。我可以往，彼可以來，曰通。通形者，先居高陽，利糧道，以戰則利。可以往，難以返，曰掛。掛形者，敵無備，出而勝之。敵若有備，出而不勝，難以返，不利。我出而不利，

彼出而不利，曰支。支形者，敵雖利我，我無出也。引而去之，令敵半出而擊之，利。隘形者，我先居之，必盈之以待敵。若敵先居之，盈而勿從，不盈而從之。險形者，我先居之，必居高陽以待敵；若敵先居之，引而去之，勿從也。遠形者，勢均，難以挑戰，戰而不利。凡此六者，地之道也。將之至任，不可不察也。

譯文 孫子說：地形有「通」、「掛」、「支」、「隘」、「險」、「遠」等類型。我軍可以前往，敵軍也可以前來的地形，稱爲「通形」。在「通形」地域行軍，應當搶先佔據向陽的高地，保證運糧通道暢通無阻，這樣會對作戰有利。可以前往卻難以返回的地形稱爲「掛形」。在「掛形」地域，如果敵軍沒有防備，我軍就可以突然進攻並取得勝利。如果敵軍有所防備，我軍出擊就難以取勝，並且很難返還，這對我軍極爲不利。我軍前往不利，敵軍前往也不

利，這樣的地形稱爲「支形」。在「支形」地域上，即使敵人用利益來引誘我軍，我軍也不能出兵。在這種環境下，應當假裝引兵撤退，誘使敵人追擊，等敵人前進一半時再回師反擊，這樣就會對我軍有利。在「隘形」地域，我軍應當搶先佔領隘口，派重兵把守，等待敵軍到來。如果敵軍搶先佔領了隘口，並有重兵把守，我軍就不要出擊；如果敵方守軍不足，我軍就可以出擊。在地勢險要的「險形」地域，我軍如果率先佔領，一定要控制向陽的高地，等待敵人前來；如果敵人搶先佔據這裏，我方就應該引兵撤退，不要去攻擊。在敵我距離遥遠的「遠形」地域上，雙方勢均力敵，這時不要出動發起挑戰，勉強求戰，會對我軍不利。以上六點，就是根據地形選擇作戰方式的基本原則。這是將領至爲重要的責任，不能不仔細審察。

原文

故兵有走者，有弛者，有陷者，有崩者，有亂者，有北者。凡此六者，非天之災，將之過也。夫勢均，以一擊十，曰走。

張良

張良，字子房，漢初三傑之一。張良跟隨劉邦以後，屢次獻上計策，助劉邦在爭霸戰爭中逐步壯大。尤其是楚漢之爭中，張良更是功不可沒。所以說一個好的將領對於軍隊來說是很重要的。

卒強吏弱，曰弛。吏強卒弱，曰陷。大吏怒而不服，遇敵懟而自戰，將不知其能，曰崩。將弱不嚴，教道不明，吏卒無常，陳兵縱橫，曰亂。將不能料敵，以少合衆，以弱擊強，兵無選鋒，曰北。凡此六者，敗之道也。將之至任，不可不察也。

譯文 所以，軍隊戰敗有「走」、「弛」、「陷」、「崩」、「亂」、「北」等情況。以上六種情況，並非天災造成的，完全是由於將領的過失所致。在交戰雙方勢均力敵的情況下，以一擊十而造成的失敗稱爲「走」。士卒強悍而軍官懦弱，這種情況造成的失敗稱爲「弛」。軍官強悍而士卒懦弱，這種情況造成的失敗稱爲「陷」。偏將憤怒而不服從命令，遇到敵人之後心懷怨憤，擅自出戰，而主將又不瞭解他的能力，這種情況導致的失敗稱爲「崩」。將領懦弱，缺乏威嚴，對士卒的管教沒有章法，官兵之間關係混亂，排兵佈陣雜亂無章，這種情況導致的失敗稱爲「亂」。將領沒有正確判斷敵情，以寡擊衆，以弱擊強，又沒有篩選出精鋭部隊作爲先鋒，這種情況導致的失敗稱爲「北」。以上六種情況，是作戰失敗的原因所在。這是將領的重要責任，不能不詳加審察。

原文 夫地形者，兵之助也。料敵制勝，計險厄遠近，上將之道也。知此而用戰者必勝，不知此而用戰者必敗。故戰道必勝，主曰無戰，必戰可也；戰道不勝，主曰必戰，無戰可也。故進不求名，退不避罪，唯人是保，而利合於主，國之寶也。

譯文 地形是用兵的輔助條件。正確判斷敵情而取得勝利，詳察地形險要之處，計算道路遠近，這是軍中主將的職責所在。掌握了這個方法，作戰必會取勝，不瞭解這些方法，作戰必定失敗。所以，根據戰場實際情況來判斷，如果必定能夠取勝，即使君主下令不戰，將領也可以堅持出戰；根據戰場實際情況來判斷，如果不能取勝，那麼即使君主下令必戰，將領也不要出戰。前進不爲謀求名聲，後退不怕承擔抗命的罪責，只求保衛民衆而有利於國君，這

知敵勢之虛弱可擊，知吾士卒之精銳可用之以擊，而不知地形之未便，不可以陳兵出奇，而與之戰，亦曰勝之半也。言知彼知己，又得地形之助，方可以全勝耳。

樣的將領，稱得上是國家的寶貴財富。

原文 視卒如嬰兒，故可與之赴深溪；視卒如愛子，故可與之俱死。厚而不能使，愛而不能令，亂而不能治，譬若驕子，不可用也。

譯文 對待士卒像對待嬰兒一樣，士卒就會心甘情願地與將領共同赴難；對待士卒像對待愛子一樣，士卒就會與將領同生共死。然而，厚待士卒而不能使用，溺愛士卒而不能指揮，違反軍紀而不能處罰，這樣的士卒就像嬌慣的孩子一樣，是不能用於作戰的。

原文 知吾卒之可以擊，而不知敵之不可擊，勝之半也；知敵之可擊，而不知吾卒之不可以擊，勝之半也；知敵之可擊，知吾卒之可以擊，而不知地形之不可以戰，勝之半也。故知兵者，動而不迷，舉而不窮。故曰：知彼知己，勝乃不殆；知天知地，勝乃不窮。

譯文 只知道自己的士卒可以出擊，卻不知道敵人不可攻擊，這種情況下勝算祇有一半；只知道敵人可以攻擊，卻不知道自己的士卒不能出擊，這種情況下勝算也祇有一半；知道敵人可以攻擊，也知道自己的士卒可以出擊，卻不知道地形不利於出戰，這種情況下勝算依然祇有一半。所以，懂得用兵之道的人，行動起來不會迷失方向，用兵時戰法變化無窮。所以說：瞭解敵人也瞭解自己，爭取勝利就不會有危險；瞭解天時也瞭解地利，就可確保勝利了。

九地第十一

原文 孫子曰：用兵之法，有散地，有輕地，有爭地，有交地，有衢地，有重地，有圮地，有圍地，有死地。諸侯自戰其地者，

爲散地。入人之地而不深者，爲輕地。我得亦利，彼得亦利者，爲爭地。我可以往，彼可以來者，爲交地。諸侯之地三屬，先至而得天下之衆者，爲衢地。入人之地深，背城邑多者，爲重地。行山林、險阻、沮澤，凡難行之道者，爲圮地。所由入者隘，所從歸者迂，彼寡可以擊吾之衆者，爲圍地。疾戰則存，不疾戰則亡者，爲死地。是故散地則無戰，輕地則無止，爭地則無攻，交地則無絕，衢地則合交，重地則掠，圮地則行，圍地則謀，死地則戰。

譯文 孫子說：根據用兵的道理，戰場分爲「散地」、「輕地」、「爭地」、「交地」、「衢地」、「重地」、「圮地」、「圍地」、「死地」等情況。諸侯在自己的領土上作戰，這樣的地方稱爲「散地」。進入敵國領土作戰但不深入，這樣的地方稱爲「輕地」。我軍佔據有利，敵軍佔據也有利，這樣的地方稱爲

「爭地」。我軍可以前往，敵軍也可以前來，這樣的地方稱爲「交地」。土地與多國接壤，先期到達就可以獲得各諸侯國的援助，這樣的地方稱爲「衢地」。深入敵境，背靠敵國衆多城邑，這樣的地方稱爲「重地」。行於山林、險阻、沼澤等難行之處，這樣的地方稱爲「圮地」。進軍道路狹窄，撤退的道路迂回曲折，敵人用少量軍隊就可以擊敗我軍衆多兵將，這樣的地方稱爲「圍地」。衹有拚死戰鬥纔能生存，不拚死戰鬥就會敗亡的地方稱爲「死地」。所以，處於「散地」就不宜作戰，處於「輕地」就不宜停留，處於「爭地」就不要勉強進攻，處於「交地」就不要斷絕聯絡，處於「衢地」就一定要注意結交鄰近的諸侯，處於「重地」就要掠奪敵人的物資，處於「圮地」就要迅速通過，處於「圍地」就要靠謀略突圍，處於「死地」就要與敵人拚死一戰。

原文 所謂古之善用兵者，能使敵人前後不相及，衆寡不相恃，貴賤不相救，上下不相收，卒離而不集，兵合而不齊。合於

利而動，不合於利而止。敢問：「敵衆整而將來，待之若何？」曰：「先奪其所愛，則聽矣。」兵之情主速，乘人之不及，由不虞之道，攻其所不戒也。

譯文 古時善於用兵的人，能夠使敵軍前後無法互相照應，大部隊和小股部隊無法協同作戰，官兵之間不能相互救援，上下各級無法聚集合攏，士卒離散而無法集中，交戰之時隊伍不齊。條件對自己有利時就發動進攻，對自己不利時就停止行動。試問：「如果敵軍數量衆多且陣容整齊，應該如何來對付呢？」回答是：「先搶奪敵人最重視的要害之地，這樣敵人就會聽從我的擺佈了。」用兵之理重在神速，要抓住敵人猝不及防的時機，走敵人預想不到的路徑，攻擊敵人沒有防備的地方。

原文 凡爲客之道，深入則專，主人不克；掠於饒野，三軍足食；謹養而勿勞，並氣積力，運兵計謀，爲不可測。

譯文 大凡離開本土到別國作戰的原則是，深入敵境，軍心就會專一，敵人就無法擊敗我軍；在敵國富饒的鄉村掠奪物資，就可以使我軍將士有充足的食物；謹慎保養，不要過於勞累，同時要鼓足士氣，積蓄力量。部署兵力巧設計謀，讓敵人沒有辦法判斷我軍的意圖。

原文 投之無所往，死且不北。死焉不得，士人盡力。兵士甚陷則不懼，無所往則固，深入則拘，不得已則鬥。是故其兵不修而戒，不求而得，不約而親，不令而信。禁祥去疑，至死無所之。

譯文 把軍隊置於無路可走的境地，士卒就會拚死戰鬥，至死都不會敗退。既然戰死在那裏已經成爲求之不得的事，士卒必定會拚盡全力。士卒深陷險境，就會無所畏懼；無路可走，軍心就會更加穩固；深入敵境，軍隊就會受到拘束而不易離散；到了迫不得已的時候，就會拚死戰鬥。所以，這樣的軍

隊不去整治自然會加強戒備；不用要求自然能夠做到；不用約束自然能夠親近依附；不用下命令自然能夠信服。同時，還要禁止占卜活動，消除疑慮，這樣，士卒就是戰死也不會逃跑。

原文 吾士無餘財，非惡貨也；無餘命，非惡壽也。令發之日，士卒坐者涕沾襟，偃臥者涕交頤。投之無所往，諸、劌之勇也。

譯文 我的士卒沒有多餘的財貨，這並不是因爲他們厭惡財貨；士卒將生死置之度外，並不是因爲他們不想長壽。戰鬥命令下達之日，士卒中坐著的人無不淚沾衣襟，仰臥的人無不淚流滿面。把軍隊置於無路可走的境地，士卒自然會像專諸、曹劌那樣英勇無畏。

原文 故善用兵者，譬如率然。率然者，常山之蛇也。擊其首則尾至，擊其尾則首至，擊其中則首尾俱至。敢問：「兵可使

如率然乎？」曰：「可。」夫吳人與越人相惡也，當其同舟而濟，遇風，其相救也如左右手。是故方馬埋輪，未足恃也；齊勇如一，政之道也；剛柔皆得，地之理也。故善用兵者，攜手若使一人，不得已也。

譯文 所以，善於用兵的人，指揮的軍隊就像率然一樣。率然，就是常山的一種蛇。擊打它的頭，它的尾巴就會來救應；擊打它的尾巴，它的頭就會來救應；如果擊打它的腰部，那麼它的頭和尾就會同時來救應。試問：「用兵也能像率然一樣嗎？」回答：「可以的。」吳國人與越國人互相仇視，當他們共同乘船遇到風浪時，他們之間相互救助就如同人的左右手一樣。所以，把馬匹並列綁在一起，把車輪掩埋起來，以此來防止軍隊潰散是靠不住的；要使軍隊齊心奮戰如同一人，憑藉的是駕馭士卒之道；要使優劣、強弱有別的士卒都能發揮作用，關鍵在於利用地理條件。所以，善於用兵的人，能使軍

能愚其士卒之耳目，使之無所知識，惟從吾所麾所指，即所謂「可使由之，不可使知之」也。如韓信破趙，李愬擒吳元濟，初馬，士卒豈能知之？

隊上下攜起手來，團結一致，像一個人一樣，這是由於受客觀條件所迫，士卒不得不這樣。

原文 將軍之事，靜以幽，正以治。能愚士卒之耳目，使之無知。易其事，革其謀，使人無識。易其居，迂其途，使人不得慮。帥與之期，如登高而去其梯。帥與之深入諸侯之地，而發其機，焚舟破釜。若驅群羊，驅而往，驅而來，莫知所之。聚三軍之衆，投之於險，此將軍之事也。

譯文 將軍用兵作戰，要做到冷靜而幽深莫測，要做到端莊而嚴整有序。要蒙蔽士卒的耳目，使他們對於軍事決策一無所知。變更作戰任務，改變行動計劃，使士卒不知道爲什麼要改變。改變駐紮的地點，故意迂回行軍，使士卒無從猜測將領的意圖。將帥與士卒如期作戰，要像登高之後撤去梯子一樣。將帥與士卒深入敵國境內，要像擊發弩機之後的箭鏃、破釜沈舟一樣，一去不復返。將領指揮士卒，要像驅趕羊群一樣，趕過去又趕過來，使士卒一無所知。聚集全軍將士，將他們投入到險境當中，使其拚死戰鬥，這就是爲將者用兵的訣竅。

原文 九地之變，屈伸之利，人情之理，不可不察也。

譯文 不同地區作戰方法的變化、各種變通之利以及軍中將士的心理狀態，都是不能不詳細考察的問題。

原文 凡爲客之道，深則專，淺則散。去國越境而師者，絕地也；四通者，衢地也；入深者，重地也；入淺者，輕地也；背固前隘者，圍地也；無所往者，死地也。

譯文 但凡進入敵國境內作戰的原則是，深入敵境則將士心志專一，入境較淺則軍心易散。離開本國，越過邊境到敵國作戰，這樣的地方稱爲「絕地」；四通八達的地方稱爲「衢地」；進入敵境較深，這樣的地方稱爲「重

地」；入境較淺的地方稱爲「輕地」；身後地形險固，前面又有隘口，難以撤退和突圍，這樣的地方稱爲「圍地」；無路可走的地方稱爲「死地」。

【原文】是故散地，吾將一其志；輕地，吾將使之屬；爭地，吾將趨其後；交地，吾將謹其守；衢地，吾將固其結；重地，吾將繼其食；圮地，吾將進其途；圍地，吾將塞其闕；死地，吾將示之以不活。故兵之情，圍則禦，不得已則鬥，過則從。

【譯文】所以，進入「散地」，我會使軍隊意志統一；進入「輕地」，我會使隊伍緊密連接；進入「爭地」，我會從敵人身後包抄；進入「交地」，我會謹慎防守；進入「衢地」，我會注意鞏固與諸侯國之間的結盟；進入「重地」，我會保證糧食供應及時有效；進入「圮地」，我會儘快走上通途，減少滯留時間；進入「圍地」，我會堵住出口；進入「死地」，我會表現出拚死一戰的決心。所以，士卒的一般心理狀態是，被敵人包圍就會盡力抵禦，迫不得已時就會與敵人進行殊死戰鬥，身陷敵境就會對將領言聽計從。

【原文】是故不知諸侯之謀者，不能豫交；不知山林、險阻、沮澤之形者，不能行軍；不用鄉導者，不能得地利。四五者，不知一，非霸王之兵也。夫霸王之兵，伐大國，則其衆不得聚；威加於敵，則其交不得合。是故不爭天下之交，不養天下之權，信己之私，威加於敵，故其城可拔，其國可隳。

【譯文】所以，不知道各國諸侯的意圖，就不能預先與之結交；不瞭解山林、險阻、沼澤等情況，就不能貿然行軍；不使用嚮導，就不能佔據地理優勢。以上諸事，哪怕有一樣不瞭解，就不能算是霸者、王者的軍隊。霸者、王者的軍隊討伐大國，可以使敵國的兵衆不能集中；向敵國施威，可以使其無法聯合盟國。所以，不必爭著與天下諸國結交，不必事奉天下的霸權，衹要能夠施展自己的意志，向敵國施威，就可以攻剋敵人的城池，摧毀敵人的國度。

王鎮惡

作爲將領要學會如何驅使自己的士卒。王鎮惡，字景略，東晉名將。他善於激勵部下，作戰時又身先士卒，所以軍隊戰鬥力極強。

原文 施無法之賞，懸無政之令，犯三軍之衆，若使一人。犯之以事，勿告以言；犯之以利，勿告以害。投之亡地然後存，陷之死地然後生。夫衆陷於害，然後能爲勝敗。

譯文 施行超過規定的獎賞，頒佈不拘常規的命令，驅使三軍將士，就像指揮一個人一樣。驅使士卒去執行任務，不要告訴他們將領的意圖；用利益來驅使士卒，不要告訴他們有害的一面。將士卒置於沒有生路的地方，他們纔能存活；將士卒置於死地，他們纔能求生。軍隊陷入極度危險的境地，然後才能取得勝利。

原文 故爲兵之事，在於順詳敵之意，並敵一向，千里殺將，此謂巧能成事者也。

譯文 所以，用兵之事，在於慎重地查明敵人的意圖，集中兵力攻擊敵人的一點，奔襲千里，斬殺敵將，這就是所謂以巧妙的方法實現取勝的目的。

發火必有時，時者，天時之燥乾則火易然；起火必有日，日者，月在箕水豹、壁水貐、翼火蛇、軫水蚓，此四宿者，風之使也，月宿於此則風起矣。《洪範》云：「星有好風，星有好雨。」陰陽推步纏次，則知所宿之日。

原文 是故政舉之日，夷關折符，無通其使，厲於廊廟之上，以誅其事。敵人開闔，必亟入之，先其所愛，微與之期。踐墨隨敵，以決戰事。是故始如處女，敵人開戶；後如脫兔，敵不及拒。

譯文 所以，決定用兵之日，要封閉關口，廢除符節，禁止各國使者往來，同時在廟堂之上反復謀劃，商討軍事決策。如果敵方有機可乘，一定要趁機而入。先奪取他們的要害之地，同時要注意隱藏與敵人交戰的時間。就像木匠按照墨綫加工木料一樣，要根據敵情的變化調整作戰計劃，確定行動方案。所以，在戰爭初始階段，軍隊要像未出嫁的女子一樣保持沈靜；戰鬥打響以後，軍隊要像放開的兔子一樣行動迅速，使敵軍來不及抗拒。

火攻第十二

原文 孫子曰：凡火攻有五：一曰火人，二曰火積，三曰火輜，四曰火庫，五曰火隊。

譯文 孫子說：但凡火攻，有五種形式：一是焚燒敵軍人馬；二是焚燒敵軍糧草；三是焚燒敵軍輜重；四是焚燒敵軍武庫；五是焚燒敵軍攻城所用的地道。

原文 行火必有因，煙火必素具。發火有時，起火有日。時者，天之燥也；日者，月在箕、壁、翼、軫也。凡此四宿者，風起之日也。

譯文 實施火攻必須具備一定的條件，火攻的器材一定要在平時就準備好。放火一定要看準天時，起火一定要選擇合適的日子。所謂天時，是指氣候乾燥；所謂日子，是指月亮運行到箕、壁、翼、軫等星宿位置的時候。凡是月

亮運行至這四個星宿的時候，都是起風的日子。

原文 凡火攻，必因五火之變而應之。火發於內，則早應之於外。火發而其兵靜者，待而勿攻，極其火力，可從而從之，不可從則止。火可發於外，無待於內，以時發之，火發上風，無攻下風，晝風久，夜風止。凡軍必知五火之變，以數守之。

譯文 但凡火攻，一定要根據五種形式的火攻之後敵情的變化來加以策應。如果在敵營內部放火，就要提前在外面做好接應安排。火起之後，如果敵營保持安靜，就應該耐心等待，萬不可貿然出擊。當火燒到最旺的時候，如果可以進攻就進攻，不能進攻就應該停止行動。火可以從敵營外面燒起，這樣就不必有內應，衹要在時機成熟的時候放火就行了。火要在上風處點燃，而不要在下風處放火攻擊。白天風颳久了，到了夜裏就會停下來。軍隊務必要掌握五種火攻形式的變化，根據條件實施火攻。

原文 故以火佐攻者明，以水佐攻者強。水可以絕，不可以奪。

譯文 所以，用火來輔助進攻可以壯大聲勢，用水來輔助進攻可以增強威力。水可以隔絕敵軍，卻不能摧毀敵人的物資。

原文 夫戰勝攻取，而不修其功者凶，命曰費留。故曰：明主慮之，良將修之。非利不動，非得不用，非危不戰。主不可以怒而興師，將不可以慍而致戰。合於利而動，不合於利而止。怒可以復喜，慍可以復說，亡國不可以復存，死者不可以復生。故明君慎之，良將警之，此安國全軍之道也。

譯文 戰勝敵人，攻取土地，如果不能鞏固勝利果實，結果十分凶險，這就叫白白浪費力氣。所以說：明主要考慮這個問題，良將要研究這個問題。形勢不利就不要採取行動，沒有取勝的把握就不要輕易用兵，不到危急關頭

就不要出戰。君主不能因爲一時憤怒而用兵，將領不能因爲一時憤怒而開戰。符合國家利益，就可以付諸行動；不符合國家利益，就要停止行動。發怒之後可以重新變得歡喜，生氣之後可以重新變得喜悅。可是，國家一旦滅亡，就不復存在；人一旦死去，就不能再生。所以，明君要慎重對待戰爭，良將要時刻警惕戰爭，這纔是安定國家、保全軍隊的原則。

用間第十三

原文 孫子曰：凡興師十萬，出征千里，百姓之費，公家之奉，日費千金；內外騷動，怠於道路，不得操事者，七十萬家。相守數年，以爭一日之勝，而愛爵祿百金，不知敵之情者，不仁之至也，非人之將也，非主之佐也，非勝之主也。

譯文 孫子說：但凡興兵十萬，出征千里，百姓的耗費和公家的開銷每天都要花費千金；國內國外騷動不止，軍隊和負責後勤供給的百姓在路上疲於奔波，不能從事正常生產活動的家庭有七十萬之多。與敵軍對峙數年，祇是爲了爭取最後一天的勝利。在這種情況下，如果因吝惜官爵、錢財而不使用間諜，致使軍隊因不能掌握敵情而無法取勝，可以說是不仁慈到極點了。這種人不配做軍隊的將領，不配做君主的輔臣，更不配做勝利的主宰。

原文 故明君賢將，所以動而勝人，成功出於衆者，先知也。先知者，不可取於鬼神，不可象於事，不可驗於度，必取於人，知敵之情者也。

譯文 所以，明君賢將之所以一用兵就取勝，成就功業遠遠高於常人，是因爲他們事先就能夠掌握敵情。要想事先掌握敵情，不能求神問鬼，不能用象數之法占卜，也不能根據日月星辰運行的度數驗證吉凶禍福，一定要從熟知敵情的人那裏獲取情報。

原文

故用間有五：有鄉間，有內間，有反間，有死間，有生間。五間俱起，莫知其道，是謂神紀，人君之寶也。鄉間者，因其鄉人而用之。內間者，因其官人而用之。反間者，因其敵間而用之。死間者，爲誑事於外，令吾間知之，而傳於敵間也。生間者，反報也。

譯文

所以，使用的間諜有五種類型：有「鄉間」，有「內間」，有「反間」，有「死間」，有「生間」。這五種間諜同時起用，就會使敵人無從弄清我軍的行動規律，這就是使用間諜的神妙道理，也是君主的制勝法寶。「鄉間」，是利用敵國鄉野之人做間諜；「內間」，是利用敵軍的官吏做間諜；「反間」，是使敵方間諜爲我所用；「死間」，就是故意散佈虛假消息，假裝泄露機密，並通過我方間諜將虛假情報傳給敵方間諜，使其上當；「生間」，就是完成任務以後能夠活着回來的間諜。

原文

故三軍之事，莫親於間，賞莫厚於間，事莫密於間。非聖智不能用間，非仁義不能使間，非微妙不能得間之實。微哉！微哉！無所不用間也。間事未發，而先聞者，間與所告者皆死。

譯文

所以，三軍之中，沒有比間諜更親密的，沒有比給間諜的獎賞更豐厚的，沒有比間諜的任務更隱秘的。如果沒有過人的智慧，就不能使用間諜；沒有深仁厚義，就不能使用間諜；沒有精細、巧妙地謀劃，就不能得到間諜的真實情報。微妙啊！微妙！幾乎沒有什麼事不可以使用間諜。如果使用間諜的事還沒有付諸實施就已經泄露了消息，那麼，間諜與泄露消息者都要被處死。

原文

凡軍之所欲擊，城之所欲攻，人之所欲殺，必先知其守將、左右、謁者、門者、舍人之姓名，令吾間必索知之。

凡欲擊人之軍，或欲攻人之城，或欲殺人，必先審知守將及左右、謁者、門者、舍人之姓名，令吾間使必索知之。左右者，左右任使之人。謁者，典賓客之官。門者，吏也。舍人，守舍之人。知其姓名，則間易入。若華元夜入楚軍，登子反之床劫盟退軍是也。

譯文

凡是準備攻擊敵人的軍隊，準備攻打敵軍的城池，準備刺殺敵軍的

戌員，務必要事先探知敵軍守將、守將身邊近侍、負責接待與傳達事務的官吏、門衛以及負責宮中事務的官吏的姓名，這些情報一定要讓我方的間諜刺探清楚。

原文 必索敵間之來間我者，因而利之，導而捨之，故反間可得而用也。因是而知之，故鄉間、內間可得而使也。因是而知之，故死間爲誑事，可使告敵。因是而知之，故生間可使如期。五間之事，主必知之，知之必在於反間，故反間不可不厚也。

譯文 務必要查清敵人派到我方的間諜，對其收買利用，並加以引導，然後將其放還，這樣反間就可以爲我所用了。通過反間來探察敵情，我們就可以進一步使用鄉間和內間；通過反間來探察敵情，我們就可以使死間的虛假情報傳到敵方；通過反間來探察敵情，生間就可以如期返回，報告敵情。這五種間諜的使用，君主一定要瞭解。瞭解情況，關鍵在於反間的使用，所以對於反間，不能不給予豐厚的獎賞。

原文 昔殷之興也，伊摯在夏；周之興也，呂牙在殷。故明君賢將，能以上智爲間者，必成大功。此兵之要，三軍之所恃而動也。

譯文 當初殷商王朝的興起，得益於伊尹在夏朝爲間；周朝的興起，得益於呂尚在殷商爲間。所以，凡是明君賢將，能用具有高超智慧的人爲間諜，必定會成就偉大的功業。這是用兵的關鍵所在，全軍都要依靠間諜所提供的情報來確定行動方案。

吳子

[戰國] 吳起 著

綜述

《吴子》，也就是《吴子兵法》，古代著名的兵書。相傳戰國初期吴起所著，戰國末年即已流傳。

吴起，戰國時期衛國人，是戰國初期軍事家、政治家、改革家，兵家代表人物。吴起一生歷仕魯、魏、楚三國，無論是内政上還是軍事上都有很高的成就，在魯國爲官時，曾經擊退齊國的入侵；在魏國做官時，數次破秦，成就魏文侯的霸業；在楚國爲官時，他主持改革，史稱「吴起變法」。後世將他與孫武合稱爲「孫吴」。

《吴子兵法》分爲兩卷，共《圖國》、《料敵》、《治兵》、《論將》、《應變》、《勵士》六篇，主要闡釋了戰爭觀的問題。《吴子兵法》既反對持衆好戰，也反對重修德，而廢武備。《吴子兵法》主張唯有内修文德，外治武備才能讓國家強大。從隋之後，唐代將它輯入《群書治要》之中，從而奠定了《吴子兵法》公認的武學經典之一的地位。

卷上

圖國第一

原文

吴起儒服，以兵機見魏文侯。

文侯曰：「寡人不好軍旅之事。」

起曰：「臣以見占隱，以往察來，主君何言與心違？今君四時使斬離皮革，掩以朱漆，畫以丹青，爍以犀象。冬日衣之則不溫，夏日衣之則不涼。爲長戟二丈四尺，短戟一丈二尺。革車掩戶，縵輪籠轂。觀之於目則不麗，乘之於田則不輕。不識主君安用此也？若以備進戰退守，而不求能用者，譬猶伏鷄之搏狸，乳犬之犯虎，雖有鬥心，隨之死矣。昔承桑氏之君，修德廢武，以滅其國；有扈氏之君，恃衆好勇，以喪其社稷。明主鑒茲，必内修文德，外治武備。故當敵而不進，無逮於義

吳起吮卒病疽

吳起做將領時，與士卒同甘共苦，還曾經親自給一個生膿瘡的士卒吮膿毒。

矣；僵屍而哀之，無逮於仁矣。」

譯文

吳起身穿儒者的服裝進見魏文侯，以陳述軍事謀略。

魏文侯說：「我對用兵之事不感興趣。」

吳起說：「我能夠根據表面現象推測您內心隱藏的想法，能夠根據您以往的行爲來探察您未來的打算，君上爲何還要言不由衷呢？如今，您一年四季命人殺獸剝皮，在上面塗以紅漆，用丹青作畫，還烙上犀牛、大象的圖案。用這樣的皮革製成衣服，冬天穿著不暖和，夏天穿著不涼爽。您製造的長戟長達二丈四尺，短戟長一丈二尺。把蒙著皮革的戰車掩護起來，就連車輪、車轂也覆蓋起來。這些車輛看上去並不美觀，乘車去打獵也不夠輕便。不知道君上用它們做什麼？如果您準備用這些東西作攻守之用，卻又不去訪求懂得使用它們的人，那麼，這就如同孵卵的母鷄與野貓搏鬥，尚未斷奶的小狗冒犯老虎，儘管有戰鬥的決心，隨之而來的必然是死亡。從前，承桑氏的君主注重

修行德政，卻廢棄了武力，結果導致國家滅亡；有扈氏的君主依仗人多，崇尚勇武，結果丟掉了政權。英明的君主一定要以此爲鑒，對內修行德政，對外加強武備。所以，面對敵人而不上前抵抗，就是沒有盡到道義；士卒死後纔表達哀痛之情，就是沒有盡到仁愛。」

原文 **於是文侯身自佈席，夫人捧觴，醮吳起於廟，立爲大將，守西河。與諸侯大戰七十六，全勝六十四，餘則鈞解。闢土四面，拓地千里，皆起之功也。**

譯文 於是，魏文侯親自安排坐席，讓魏夫人捧著酒器，在宗廟裏向吳起敬酒，並任命他爲大將，鎮守西河地區。吳起與各諸侯國大戰七十六次，其中六十四次取得全勝，其餘十二次與對手勢均力敵。魏國向四面擴張疆土，版圖增加千里，這都是吳起的功勞。

原文 **吳子曰：「昔之圖國家者，必先教百姓而親萬民。有四不和：不和於國，不可以出軍；不和於軍，不可以出陳；不和於陳，不可以進戰；不和於戰，不可以決勝。是以有道之主，將用其民，先和而後造大事。不敢信其私謀，必告於祖廟，啓於元龜，參之天時，吉乃後舉。民知君之愛其命，惜其死，若此之至，而與之臨戰，則士以進死爲榮，以退生爲辱矣。」**

譯文 吳起說：「從前謀求國家利益的君主，必定先教化百姓，親近萬民。有四種不協調的情況需要注意：國內不協調，就不可以出兵；軍隊不協調，就不可以列陣；陣勢不協調，就不可以出戰；作戰行動不協調，就無法取勝。所以，賢明的君主要想發動民衆作戰，事先一定要使他們彼此協調，然後纔能成就大事。如果不敢相信自己的謀略，一定要到宗廟去告祭，用元龜來占卜吉凶禍福，並參考天時，在出現吉兆之後纔能出兵。如果這樣，百姓就會知道君主愛惜他們的性命，吝惜他們的死亡。君主如果做到如此周全，再率領

帝。所以，靠多次取勝而奪取天下的非常稀少，因此而滅亡的卻比比皆是。」

原文

吳子曰：「凡兵之所起者有五：一曰爭名，二曰爭利，三曰積惡，四曰內亂，五曰因饑。其名又有五：一曰義兵，二曰強兵，三曰剛兵，四曰暴兵，五曰逆兵。禁暴救亂曰義，恃衆以伐曰強，因怒興師曰剛，棄禮貪利曰暴，國亂人疲，舉事動衆曰逆。五者之服，各有其道：義必以禮服，強必以謙服，剛必以辭服，暴必以詐服，逆必以權服。」

譯文

吳起說：「但凡興兵作戰，有五類原因：一是爭奪名位，二是爭奪利益，三是積怨已久，四是國內發生叛亂，五是敵國發生饑荒，於是乘虛而入。戰爭的類型也有五種：一是『義兵』，二是『強兵』，三是『剛兵』，四是『暴兵』，五是『逆兵』。禁止暴行、平息叛亂，稱爲『義兵』；仗恃兵多而討伐別國，稱爲『強兵』；由於一時憤怒而興兵，稱爲『剛兵』；拋棄禮義道德，因貪圖利益而興兵，稱爲『暴兵』；國家混亂，人民疲憊，在這種情況下興師動衆，稱爲『逆兵』。對付這五種戰爭，有著不同的方法：對於『義兵』，一定要用禮義來折服；對於『強兵』，一定要用恭謙退讓來降服；對於『剛兵』，一定要用言辭來說服；對於『暴兵』，一定要以詭詐之道來制服；對於『逆兵』，一定要以威勢來懾服。」

原文

武侯問曰：「願聞治兵、料人、固國之道。」

起對曰：「古之明王，必謹君臣之禮，飾上下之儀，安集吏民，順俗而教，簡募良材，以備不虞。昔齊桓募士五萬，以霸諸侯。晉文召爲前行四萬，以獲其志。秦繆置陷陳三萬，以服鄰敵。故強國之君，必料其民。民有膽勇氣力者，聚爲一卒；樂以進戰效力，以顯其忠勇者，聚爲一卒；能踰高超遠，輕足善走者，聚爲一卒；王臣失位而欲見功於上者，聚爲一卒；

棄城去守，欲除其醜者，聚爲一卒。此五者，軍之練銳也。有此三千人，内出可以決圍，外入可以屠城矣。」

譯文 魏武侯問吳起說：「我想聽聽關於治理軍隊、瞭解百姓、鞏固國家的方法。」

吳起回答說：「古代賢明之君，必定嚴格遵守君臣之間的禮節，整頓上下級之間的禮儀規範，安撫、聚集官吏和百姓，順應習俗施行教化，選拔、招募優秀人才，以防備意想不到的情況發生。從前齊桓公招募了五萬勇士，得以稱霸諸侯。晉文公召集四萬勇士作爲先鋒，得以實現自己的願望。秦穆公組織了三萬名衝鋒陷陣的勇士，得以降服鄰近的敵國。所以，強國的君主，必定瞭解國内的百姓。把百姓中有膽量、勇氣的編爲一卒；把樂於衝鋒陷陣、爲國君效力以顯示其忠勇的編爲一卒；把能夠攀高越險，步履輕快善跑的編爲一卒；把因罪罷官，如今打算立功報國的編爲一卒；把曾經棄城逃跑，擅離職守，如今打算洗刷恥辱的編爲一卒。這五種部隊，是全軍的精銳。有了這樣的三千人，由内向外可以突出重圍，由外向内可以摧毀敵人的城池。」

原文 武侯問曰：「願聞陳必定，守必固，戰必勝之道。」

起對曰：「立見且可，豈直聞乎！君能使賢者居上，不肖者處下，則陳已定矣。民安其田宅，親其有司，則守已固矣。百姓皆是吾君而非鄰國，則戰已勝矣。」

譯文 魏武侯問吳起說：「我想聽聽佈陣必然穩定，防守必然堅固，交戰必然取勝的方法。」

吳起回答說：「這些馬上就可以見到，豈止是聽到而已呢？君上能使賢德之士居於上位，使無才無德之輩居於下位，陣形就會穩定了。百姓安居樂業，並與官吏親近，防守就會堅固。百姓都肯定本國國君，而反對鄰國國君，那麼戰鬥就已經勝利了。」

原文

武侯嘗謀事，群臣莫能及，罷朝而有喜色。起進曰：「昔楚莊王嘗謀事，群臣莫能及，退朝而有憂色。申公問曰：『君有憂色，何也？』曰：『寡人聞之，世不絕聖，國不乏賢，能得其師者王，得其友者霸。今寡人不才，而群臣莫及者，楚國其殆矣！』此楚莊王之所憂，而君說之，臣竊懼矣。」於是武侯有慚色。

譯文

魏武侯曾與群臣共同商議國事，群臣的見解都比不上他，退朝以後，魏武侯面帶喜色。吳起進諫說：「當初楚莊王曾與群臣議事，群臣的見解都比不上他。退朝之後，楚莊王面帶憂色。申公巫問道：『君上面帶憂色，是什麼原因呢？』楚莊王回答：『我聽說，世上不會缺少聖人，國家不會缺少賢才。能得到這些人做自己的老師，就可以稱王；能得到這些人做自己的朋友，就可以稱霸。如今，我並沒有什麼才幹，可是群臣之中卻沒有比得上我的，看

楚莊王

楚莊王，春秋時期楚國國君，春秋五霸之一。他在位時，楚國威名遠揚，後世對其評價較高。

來楚國危險了！』這是楚莊王所擔憂的事，而您卻爲此而喜悅，所以我私下裏感到憂懼。」於是魏武侯的臉上露出了慚愧的表情。

料敵第二

【原文】武侯謂吳起曰：「今秦脅吾西，楚帶吾南，趙衝吾北，齊臨吾東，燕絕吾後，韓據吾前，六國之兵四守，勢甚不便，憂此奈何？」

起對曰：「夫安國家之道，先戒爲寶。今君已戒，禍其遠矣。臣請論六國之俗：夫齊陳重而不堅，秦陳散而自鬥，楚陳整而不久，燕陳守而不走，三晉陳治而不用。

【譯文】魏武侯對吳起說：「如今秦國威脅著我國西面，楚國圍繞著我國南面，趙國正對著我國北面，齊國緊鄰我國東面，燕國斷絕了我國的後路，韓國據守在我國前面，六國軍隊從四面包圍著我國，形勢對我們十分不利，我爲此感到擔憂，這該如何是好呢？」

吳起回答說：「保障國家安全的方法，以預先加強戒備最爲重要。如今，君上已經有所戒備，就可遠離禍患了。我請求談論一下六國軍隊的情況：齊國軍陣雖然龐大，但是並不堅固；秦國軍陣分散，卻能各自爲戰；楚國軍陣嚴整，卻不持久；燕國軍陣防守嚴密，卻不善於主動出擊；趙國和韓國的軍陣雖然秩序井然，但是缺乏戰鬥力，難以投入使用。

【原文】「夫齊性剛，其國富，君臣驕奢而簡於細民。其政寬而祿不均，一陳兩心，前重後輕，故重而不堅。擊此之道，必三分之，獵其左右，脅而從之，其陳可壞。

【譯文】「齊國人性情剛強，國家富足，君臣驕奢，卻忽視民眾的利益。齊國政令鬆弛，俸祿不均，軍陣中的將士懷有二心，不能齊心協力，而且兵力部署前重後輕，所以陣勢雖然龐大，但並不堅固。攻擊齊國軍隊的原則在於，

夫齊人心性剛忿，如云「吾姑翦此而朝食」；是其性之剛也。其國富饒，以其通工商之業，便魚鹽之利也。君臣驕傲奢侈，而慢於細民。其政令寬緩，而俸祿不均平。一陣而兩其心，言其心之不一也。前軍重而後軍輕，言其力之不齊也。心不一，力不齊，故雖重而不堅固也。

一定要將其分爲三部分，攻擊其左右兩翼，脅迫其就範，這樣，其陣勢就會被破壞。

原文

「秦性強，其地險，其政嚴，其賞罰信。其人不讓，皆有鬥心，故散而自戰。擊此之道，必先示之以利而引去之。士貪於得而離其將，乘乖獵散，設伏投機，其將可取。

譯文

「秦國人性格強悍，國家地勢險要，政令嚴格，賞罰守信。他們的士卒在戰場上總是爭先恐後，毫不退讓，鬥志高昂，所以能夠分散兵力，各自爲戰。攻擊秦國軍隊，一定要向他們示以利益，引誘士卒離開大部隊。士卒貪圖利益而脫離將領的掌控，這時就可以乘其離散而攻擊零散部隊，並且要設置伏兵，伺機而動，這樣就可以擒獲敵軍將領。

原文

「楚性弱，其地廣，其政騷，其民疲，故整而不久。擊此之道，襲亂其屯，先奪其氣，輕進速退，弊而勞之，勿與爭戰，其軍可敗。

譯文

「楚國人性格懦弱，其土地廣闊，政令混亂，百姓疲憊，所以軍陣雖然嚴整，卻不能持久。攻擊楚國軍隊，要襲擾其屯兵之地，先挫傷他們的士氣，再派輕裝部隊快速進攻，快速撤退，使他們疲於應付，但不要與他們正面交戰。這樣，楚國軍隊就可擊敗了。

原文

「燕性慤，其民愼，好勇義，寡詐謀，故守而不走。擊此之道，觸而迫之，陵而遠之，馳而後之。則上疑而下懼。謹我車騎必避之路，其將可虜。

譯文

「燕國人性格忠厚、誠實，行動謹愼，崇尚勇武、忠義，缺少詐謀，所以善於防守而不善於進攻。攻擊燕國軍隊，要在兩軍剛一接觸的時候就對其施加壓力，猛攻一下就迅速撤至遠處，然後迅速奔襲到敵軍後方。這樣一來，敵軍將領就會產生疑惑，士卒就會有所畏懼。謹愼地將車馬埋伏在敵軍

撤退的必經之路上，敵將就可以被我軍俘虜了。

原文 「三晉者，中國也，其性和，其政平，其民疲於戰，習於兵，輕其將，薄其祿，士無死志，故治而不用。擊此之道，阻陳而壓之。衆來則拒之，去則追之，以倦其師。此其勢也。

譯文 「趙、韓兩國地處中原，百姓性情溫和，政令平和，他們的人民疲於戰事，經常打仗，輕視將帥，鄙薄爵祿，士卒沒有拚死戰鬥的志向，所以，他們的軍隊雖然秩序井然，卻缺乏戰鬥力。攻擊這兩國的軍隊，要以強大的陣勢壓倒他們。如果他們率衆來攻，就要加以阻擊；如果他們撤退，就要緊追不捨，從而使其軍隊疲倦。以上這些，就是六國的基本形勢。

原文 「然則一軍之中，必有虎賁之士，力輕扛鼎，足輕戎馬。搴旗斬將，必有能者。若此之等，選而別之，愛而貴之，是謂軍命。其有工用五兵、材力健疾、志在吞敵者，必加其爵列，可以決勝。厚其父母妻子，勸賞畏罰。此堅陳之士，可與持久。能審料此，可以擊倍。」

武侯曰：「善。」

譯文 「那麼，在一支軍隊當中，一定要有虎賁勇士，力氣大到可以輕易舉起鼎，步履敏捷到可以追上戰馬。必定會有這樣的能人，在戰鬥中可以奪取敵軍旗幟，斬殺敵軍將領。像這樣的人才，應該選拔出來分別使用，愛惜並重用他們，他們就是軍隊的命脈。對於那些精通各種兵器、身強力健、動作敏捷、有殺敵之志的人，一定要加官晉爵，這樣就可以利用他們來取得戰爭的勝利。要厚待他們的父母、妻子、兒女，用獎賞來鼓勵他們，用懲罰來警戒他們。這些人是堅守軍陣的骨幹，可以持久作戰。如果能夠清楚地審察這些問題，就可以擊敗成倍的敵人了。」

魏武侯說：「說得很好。」

【原文】吳子曰：「凡料敵，有不卜而與之戰者八：一曰疾風大寒，早興寤遷，剖冰濟水，不憚艱難。二曰盛夏炎熱，晏興無間，行驅飢渴，務於取遠。三曰師既淹久，糧食無有，百姓怨怒，妖祥數起，上不能止。四曰軍資既竭，薪芻既寡，天多陰雨，欲掠無所。五曰徒衆不多，水地不利，人馬疾疫，四鄰不至。六曰道遠日暮，士衆勞懼，倦而未食，解甲而息。七曰將薄吏輕，士卒不固，三軍數驚，師徒無助。八曰陳而未定，舍而未畢，行阪涉險，半隱半出。諸如此者，擊之勿疑。

【譯文】吳起說：「但凡判斷敵情，在八種情況下可以不必占卜而直接與敵人交戰：一是敵人冒着大風嚴寒晝夜行軍，剖冰渡河，不畏艱難。二是在炎熱的盛夏很晚纔出發，中途不休息，快速行軍，士卒渴難耐，將領卻要求攻取遠地。三是軍隊在外滯留時間過久，糧食缺乏，百姓怨怒，不祥之兆屢屢出現，統帥又無法制止。四是軍需物資已經告竭，柴草所剩不多，又趕上陰雨連綿，準備搶掠物資卻無處可尋。五是兵力不多，水土不服，人馬多患疾病，四面鄰國的援軍又沒有到來。六是路途遙遠，日近黃昏，兵衆勞累而又恐懼，疲倦而又飢餓，紛紛解下甲冑休息。七是將帥和各級官吏輕薄而缺乏威信，軍心不夠穩固，三軍屢屢受驚，士卒孤立無援。八是軍陣還沒有穩定，營舍還沒有建好，軍隊行走於山路，穿越險阻，衹通過半數。敵軍若出現以上八種情況，我軍就可以立刻出擊，不必遲疑。」

【原文】「有不占而避之者六：一曰土地廣大，人民富衆。二曰上愛其下，惠施流佈。三曰賞信刑察，發必得時。四曰陳功居列，任賢使能。五曰師徒之衆，兵甲之精。六曰四鄰之助，大國之援。凡此不如敵人，避之勿疑。所謂見可而進，知難而退也。」

【譯文】「在六種情況下不必占卜就要回避敵人：一是敵國土地廣闊，人口

衆多且十分富足。二是敵軍上級愛護下級，恩惠廣泛傳佈。三是獎賞守信，刑罰嚴明，對功過處置及時、得當。四是根據功勞大小賜予官爵之位，任用賢人、能士。五是兵力充足，裝備精良。六是有周圍鄰國相助，有大國支援。凡是在上述六個方面不如敵人，就要儘快回避，不必遲疑。這就是所謂的『可以取勝就進攻，難以取勝就回避』。」

原文 武侯問曰：「吾欲觀敵之外以知其內，察其進以知其止，以定勝負，可得聞乎？」

起對曰：「敵人之來，蕩蕩無慮，旌旗煩亂，人馬數顧，一可擊十，必使無措。諸侯未會，君臣未和，溝壘未成，禁令未施，三軍洶洶，欲前不能，欲去不敢，以半擊倍，百戰不殆。」

譯文 魏武侯問道：「我想通過觀察敵人的外在表現來瞭解其內部情況，通過觀察敵人的行動來推測其目的，以此來判定勝負，你能否把其中的要領

曹操分兵拒袁紹

用兵打仗，戰略戰術很重要。袁紹兵強馬壯，爲曹操所不能及，但是曹軍善用戰術，所以能夠抵擋袁紹大軍，並且最終大敗袁軍。

說給我聽聽？」

吳起回答說：「敵人來時，如果行動散漫，毫無顧慮，旗幟紛亂，人馬左顧右盼，那麼，我軍就可以以一擊十，必定會讓敵人手足無措。如果各路諸侯的軍隊沒有會合，敵國君臣之間又不和諧，溝壘等工事尚未完工，禁令尚未施行，三軍喧擾不安，想前進卻不能前進，想後退卻不敢後退，這時我軍可以以一半的兵力攻擊二倍於己的敵人，一定百戰不敗。」

原文

武侯問敵必可擊之道。

起對曰：「用兵必須審敵虛實而趨其危。敵人遠來新至，行列未定，可擊。既食未設備，可擊。奔走，可擊。勤勞，可擊。未得地利，可擊。失時不從，可擊。涉長道，後行未息，可擊。涉水半渡，可擊。險道狹路，可擊。旌旗亂動，可擊。陳數移動，可擊。將離士卒，可擊。心怖，可擊。凡若此者，選鋭衝之，分兵繼之。急擊勿疑。」

譯文

魏武侯問吳起什麼樣的敵人一定能夠擊敗。

吳起回答說：「用兵打仗一定要先查明敵人的虛實，然後再攻其弱點。敵人遠道而來，剛剛到達目的地，軍陣還沒有列好，這時可以出擊。敵人剛剛吃完飯，還沒有設置防禦工事，可以攻擊。敵人慌亂地奔跑，可以攻擊。敵人過度勞累，可以攻擊。敵人沒有佔據有利地形，可以攻擊。敵人失去戰機，內部又不協調，可以攻擊。敵人遠道而來，後續部隊尚未得到休整，可以攻擊。敵人渡水而來，半數人馬渡過時可以攻擊。敵人在險峻、狹窄的道路行軍，可以攻擊。敵人旗幟紛亂，可以攻擊。敵人軍陣頻頻移動，可以攻擊。敵軍將領與士卒之間離心離德，可以攻擊。敵軍內心恐怖，可以攻擊。凡是遇到上述情況，就應該選派精鋭部隊向敵人發起攻擊，並派遣後續部隊投入戰鬥。攻擊一定要迅速，千萬不可遲疑。」

治兵第三

原文 武侯問曰：「進兵之道何先？」

起對曰：「先明四輕、二重、一信。」

曰：「何謂也？」

對曰：「使地輕馬，馬輕車，車輕人，人輕戰。明知險易，則地輕馬。芻秣以時，則馬輕車。膏鐧有餘，則車輕人。鋒鋭甲堅，則人輕戰。進有重賞，退有重刑。行之以信。審能達此，勝之主也。」

譯文 魏武侯問道：「與敵軍交戰，首先應該掌握什麼？」

吳起回答道：「先要弄清楚『四輕』、『二重』、『一信』。」

魏武侯又問：「這是什麼意思？」

吳起回答說：「所謂『四輕』，就是使地形便於戰馬奔馳，使戰馬便於駕車，使戰車便於載人，使人便於作戰。瞭解地形的險要與平坦，就會使地形便於戰馬奔馳。按時給馬匹喂草，就會使戰馬便於駕車。使車軸保持潤滑，就會使戰車便於載人。武器鋒利，甲冑堅固，就會使人便於作戰。所謂『二重』，就是給前進者以重賞，給後退者以重罰。所謂『一信』，就是軍令執行起來一定要嚴格有信。如果真的能夠做到這些，就可以成爲勝利的主宰。」

原文 武侯問曰：「兵何以爲勝？」

起對曰：「以治爲勝。」

又問曰：「不在衆寡？」

對曰：「若法令不明，賞罰不信，金之不止，鼓之不進，雖有百萬，何益於用？所謂治者，居則有禮，動則有威；進不可當，退不可追；前卻有節，左右應麾。雖絶成陳，雖散成行。與之安，與之危，其衆可合而不可離，可用而不可疲。投之所

吳子言：凡行軍之道，無犯其前後進止之節，使之有所守；無失其平日飲食之適，使之有所養，無絕其人馬佚飽之力，使之有所恃。此三者，皆所以任用在上之令也。任用在上之令，則治之所自生也。

往，天下莫當，名曰父子之兵。」

譯文

魏武侯問道：「軍隊依靠什麼取勝？」

吳起回答道：「治軍嚴整纔能取勝。」

魏武侯又問：「與兵力的多少沒有關係嗎？」

吳起回答道：「如果軍中法令不嚴明，賞罰失信，鳴金不能收兵，擊鼓不能進軍，即使有百萬大軍，又有什麼用呢？所謂治軍嚴整，就是屯駐期間遵守禮法，行動之時要有威勢；前進時令敵人無法阻擋，後退時令敵人無法追擊；進退都有節制，左右移動聽從指揮。軍陣即使被敵軍切斷也能各自爲戰，即使被敵軍衝散也能夠恢復行列。如果將帥與士卒能夠共享安逸，共赴危難，那麼這樣的軍隊就會團結一致而不會離散，勇敢作戰而不致疲憊。把這樣的軍隊置於需要的地方，天下沒有誰能夠抵擋，這就稱爲『父子之兵』。」

原文

吳子曰：「凡行軍之道，無犯進止之節，無失飲食之

適，無絕人馬之力。此三者，所以任其上令。任其上令，則治之所由生也。若進止不度，飲食不適，馬疲人倦而不解舍，所以不任其上令。上令既廢，以居則亂，以戰則敗。」

譯文

吳起說：「但凡行軍，一般的原則是不要違反軍隊前進與停止的節制，不要耽誤飲食的供給，不要耗盡人馬的體力。做到這三點，纔能使軍隊服從上級命令。軍隊服從上級命令，治理好軍隊的基礎便由此產生。如果軍隊前進、停止沒有度量，飲食不能按時供給，人馬疲憊不堪卻不解甲安營，這樣一來軍隊就不會聽從上級的命令。如果上級命令得不到執行，那麼軍隊平時駐紮就會紀律散亂，投入戰鬥就會失敗。」

原文

吳子曰：「凡兵戰之場，立屍之地，必死則生，幸生則死。其善將者，如坐漏船之中，伏燒屋之下，使智者不及謀，勇者不及怒，受敵可也。故曰：用兵之害，猶豫最大；三軍之災，

生於狐疑。」

譯文 吳起說：「凡是兩軍交戰之地，都是流血犧牲的地方。在戰場上，抱著必死的決心，就有可能存活；如果僥幸求生，反而容易死亡。善於指揮軍隊的將領，能使軍隊如同坐在漏水的船中，趴在着火的屋檐之下，使智慧之人來不及思慮謀劃，使勇武之人來不及發怒逞威，這樣，軍隊就可以全力應敵了。所以說：用兵的弊端，猶豫不決是最嚴重的；三軍的災難，是從狐疑中產生的。」

原文 吳子曰：「夫人常死其所不能，敗其所不便。故用兵之法，教戒爲先。一人學戰，教成十人；十人學戰，教成百人；百人學戰，教成千人；千人學戰，教成萬人；萬人學戰，教成三軍。以近待遠，以佚待勞，以飽待飢。圓而方之，坐而起之，行而止之，左而右之，前而後之，分而合之，結而解之。每變皆習，乃授其兵。是謂將事。」

譯文 吳起說：「士卒常常會死於缺乏作戰技能，敗於自己所不熟悉的作戰方法。所以用兵的方法，是把對軍隊的教育和訓練放在首位。一個人學會了戰法，可以教會十人；十人學會戰法，可以教會百人；百人學會戰法，可以教會千人；千人學會戰法，可以教會萬人；萬人學會戰法，可以教會全軍。對付敵人，要掌握以下方法：以我軍的接近戰場來對付敵人的遠離戰場，以我軍的安逸對付敵人的疲勞，以我軍的飽食對付敵人的飢餓。指揮軍隊，要掌握以下方法：使圓陣變爲方陣，使坐姿變爲站姿，使前進的軍隊停止，使向左的軍隊向右，使向前的軍隊向後，使分散的軍隊集中，使集中的軍隊分散。要使士卒對每一種變化都非常熟悉，然後纔能把兵器交給他們。這些就是將領應該掌握的事情。」

原文 吳子曰：「教戰之令，短者持矛戟，長者持弓弩，強者持旌旗，勇者持金鼓，弱者給廝養，智者爲謀主。鄉里相比，

什伍相保。一鼓整兵，二鼓習陳，三鼓趨食，四鼓嚴辨，五鼓就行。聞鼓聲合，然後舉旗。」

譯文 吳起說：「訓練士卒的法則是：身材矮小的持矛戟，身材高大的持弓弩，體格強健的扛軍旗，作戰勇敢的操金鼓，身體羸弱的負責喂馬、做飯等後勤工作，智慧過人的可以出謀劃策。將同鄉、同里的士卒編在一起，讓同什、同伍的士卒相互聯保。第一次擊鼓，要整理兵器；第二次擊鼓，要練習列陣；第三次擊鼓，要迅速進餐；第四次擊鼓，要嚴格檢查裝備；第五次擊鼓，要站好隊列。聽到軍鼓齊鳴，然後就可以高舉令旗，指揮軍隊行動。」

原文 武侯問曰：「三軍進止，豈有道乎？」

起對曰：「無當天竈，無當龍頭。天竈者，大谷之口；龍頭者，大山之端。必左青龍，右白虎，前朱雀，後玄武，招搖在上，從事於下。將戰之時，審候風所從來。風順致呼而從之，風逆堅陳以待之。」

譯文 魏武侯問道：「三軍前進與停止，有什麼原則嗎？」

吳起回答道：「不要在『天灶』紮營，不要在『龍頭』駐軍。所謂『天灶』，是指大山的谷口；所謂『龍頭』，是指大山的頂端。一定要使左軍使用青龍旗，右軍使用白虎旗，前軍使用朱雀旗，後軍使用玄武旗，招搖旗置於中央，高高在上，以指揮下方的軍隊行動。將要開戰之時，要觀察風是從哪個方向吹來的。如果順風，就要乘勢鼓噪進攻；如果逆風，就要堅守陣地，伺機而動。」

原文 武侯問曰：「凡畜車騎，豈有方乎？」

起對曰：「夫馬，必安其處所，適其水草，節其飢飽。冬則溫廄，夏則涼廡。刻剔毛鬣，謹落四下，戢其耳目，無令驚駭。習其馳逐，閑其進止，人馬相親，然後可使。車騎之具，鞍、勒、銜、轡，必令完堅。凡馬不傷於末，必傷於始；不傷於飢，

必傷於飽。日暮道遠，必數上下。寧勞於人，慎無勞馬。常令有餘，備敵覆我。能明此者，橫行天下。」

譯文

魏武侯問道：「馴養戰馬有什麼方法嗎？」

吳起回答道：「馴養戰馬，一定要選擇合適的處所，水草的供給要適當，使戰馬飢飽有節。冬天要使馬廄溫暖，夏天要使馬棚涼爽。要經常爲戰馬修剪鬃毛，謹慎地爲馬蹄釘掌，遮蓋馬的耳目，以免使其驚駭。要讓戰馬熟習奔跑、追逐和前進、停止，做到人馬相親，然後纔可投入使用。馬鞍、籠頭、嚼子、韁繩等馬具，一定要完整堅固。凡是馬匹，不是傷於使用結束時，就一定是傷於開始使用時；不是傷於過飢，就一定是傷於過飽。如果天色已晚，而路途又很長，騎馬者一定要多次下馬行走。寧可使人疲勞，也不能讓戰馬疲憊。經常讓戰馬保持充裕的精力，以防備敵人對我軍偷襲。能明白這些道理的人，就可以橫行天下，所向無敵。」

馬

馬在四千年前被人類馴服，在古代曾是農業生產、交通運輸和軍事活動的主力。想要馴養出優秀強壯的戰馬，需要掌握很多方法。